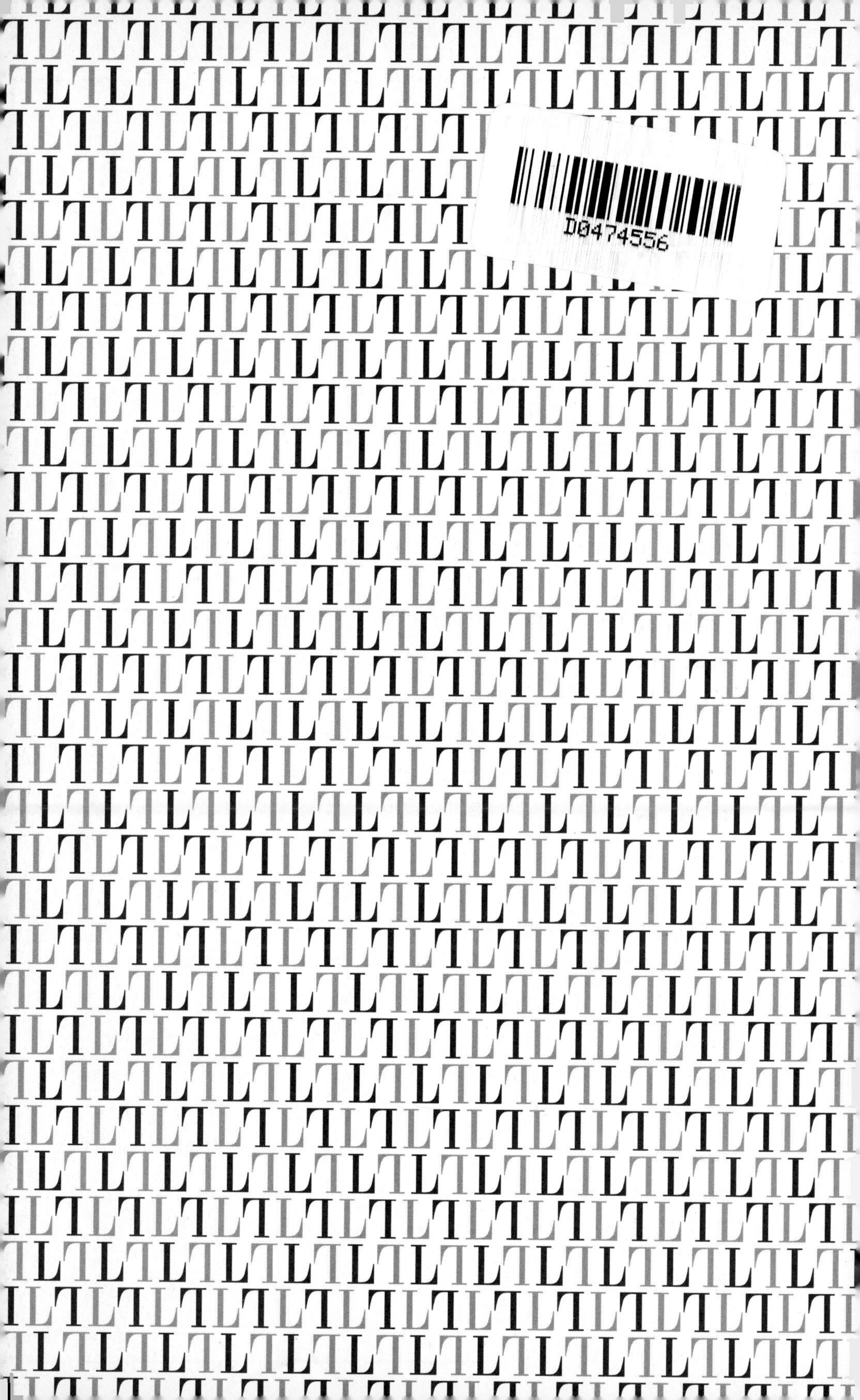
D0474556

La mujer de púrpura

La mujer de púrpura

Jeanette Winterson

Traducción de
Alejandro Palomas

Lumen

narrativa

Título original: *The Daylight Gate*

Primera edición: mayo de 2013

Printed in Spain – Impreso en España

ISBN: 978-84-264-2167-8
Depósito legal: B-3.339-2013

Compuesto en Fotocomposición 2000, S. A.
Impreso en Egedsa
Sabadell (Barcelona)

H 4 2 1 6 7 8

Para Henri Llewlyn Davies,
1954-2011.
Su propia bruja y la mía.

Introducción

El juicio de las brujas de Lancashire en 1612 es el más famoso de los procesos por brujería de Inglaterra. Los sospechosos fueron trasladados al castillo de Lancaster en abril de 1612 y ejecutados al término de las audiencias de agosto.

La Mazmorra del Foso puede visitarse y el castillo de Lancaster está abierto al público.

Fue el primer proceso por brujería documentado. Thomas Potts, abogado, redactó el informe *The Wonderfull Discoverie of Witches in the Countie of Lancashire.* Se considera un informe literal de primera mano, aunque profusamente aderezado con las opiniones del propio Potts sobre la materia. Potts era leal al rey Jacobo I, ferviente protestante, cuyo libro, *Daemonology*, marcaría la pauta y el sentimiento general de un siglo obsesionado con la brujería y con toda suerte de herejías, incluidos los fieles a la antigua fe católica.

Brujería y papismo, papismo y brujería, en palabras de Potts, es como el siglo XVII inglés entendía las cuestiones relativas a lo diabólico y a la traición.

Todos los implicados en la Conspiración de la Pólvora, de

1605, huyeron a Lancashire. Y Lancashire continuó siendo un baluarte de la fe católica durante todo el siglo XVII.

La historia que narro respeta el relato histórico de los juicios por brujería y el trasfondo religioso, aunque incluye las conjeturas e invenciones necesarias. No sabemos si Shakespeare fue tutor en Hogton Hall, pero hay indicios que apuntan a que pudo serlo. La cronología de sus obras que se utiliza aquí es correcta. El uso que hace de lo religioso, de lo sobrenatural y de lo macabro es asimismo correcto.

Los lugares son reales: Read Hall, Rough Lee, Malkin Tower y Newchurch, en Pendle, la abadía de Whalley. Los personajes son reales, si bien me he tomado algunas libertades respecto a sus motivos y los medios que emplearon. Mi Alice Nutter no es la Alice Nutter histórica, aunque sigue siendo un misterio por qué esa noble dama fue juzgada por brujería junto con la chusma de Demdike y Chattox.

La historia de Alice Nutter y Elizabeth Southern es invención mía y no está basada en hechos reales. Aun así, me complace pensar que quizá hubiera alguna relación con el doctor John Dee y con Manchester, Londres y el propio Shakespeare.

Y Pendle Hill sigue siendo el enigma que siempre fue, pese a que Malkin Tower desapareció hace mucho tiempo.

JEANETTE WINTERSON
junio de 2012

Pendle

El Norte es el lugar oscuro.

Es peligroso ser enterrado en la cara norte de la iglesia, y la Puerta Norte es el paso de los Muertos.

El norte de Inglaterra es indómito. Puede ser sometido pero no domesticado. Lancashire es la parte salvaje de lo indómito.

Pendle Forest fue en su día un terreno de caza, aunque hay quien dice que el cazador es la colina: viva bajo su capa negra y verde, recortada como la piel de un animal.

La colina es baja e imponente, de cima plana, siniestra, desaparece entre la niebla, resulta traicionera con sus ciénagas y está surcada de arroyos de rápidas corrientes que se precipitan en cascadas cuyas aguas restallan en pozas ignotas. Debajo está la roca negra, que es la columna vertebral del lugar.

Las ovejas pacen. Las liebres se alzan como signos de interrogación.

No hay hitos que orienten al viajero. Demasiado temprano o demasiado tarde cae la niebla. Solo un loco o alguien con oscuros propósitos cruzaría Pendle de noche.

Desde la cumbre plana de Pendle Hill se divisa cuanto conforma el condado de Lancashire, y hay quien dice que también pueden verse otras cosas. Es un lugar encantado. Los vivos y los muertos se reúnen en la colina.

Es imposible caminar por aquí y sentirse solo.

Quienes han nacido en este lugar están marcados por Pendle. Comparten una marca común. Todavía pervive la tradición, o la superstición, de que las niñas nacidas en Pendle Forest son bautizadas dos veces: una en la iglesia y la otra en una poza negra al pie de la colina. La colina las conocerá entonces. Serán su trofeo y su sacrificio. Ellas deben aceptar el derecho derivado de su nacimiento, sea cual sea su significado.

John Law

El buhonero John Law había tomado un atajo por la hendidura de Pendle Forest conocida como Boggart's Hole. La tarde era demasiado calurosa para la época del año y la ropa de invierno le molestaba. Debía apresurarse. La luz empezaba a menguar. No tardaría en caer la noche: la hora liminar, el Portal del Crepúsculo. No deseaba cruzar la luz hacia lo que quiera que hubiese al otro lado.

Cargaba un fardo voluminoso y le dolían los pies. Resbaló y tendió la mano para salvarse, pero la muñeca, el codo, las rodillas se le hundieron en una espesa capa de burbujeante lodo marrón bajo la superficie del esponjoso musgo. Era un hombre corpulento. Mientras se esforzaba por levantarse vio a la bruja Alizon Device plantada ante él.

Sonreía, persuasiva, y agitaba la falda. Quería alfileres de los que Law llevaba en el fardo: «Bésame, gordo buhonero». Él no quería besarla. No pensaba darle ningún alfiler. Oyó la primera lechuza. Tenía que huir.

La empujó sin contemplaciones. Ella cayó. Se agarró a la pierna de Law para levantarse. Él le propinó una patada. Ella se golpeó la cabeza.

Law corrió.

Ella le maldijo.

—¡GORDO BUHONERO! ¡ATRÁPALO, CAPRICHO! ¡CLÁVALE LOS COLMILLOS HASTA EL HUESO!

Law oyó los gruñidos de un perro. No lo veía. Sería el perro de Alizon Device... debía de ser. El Diablo le había concedido un espíritu con forma de perro al que ella llamaba Capricho.

Law corrió. Cuando salió de entre las aulagas, otra mujer le cerró el paso. Llevaba un cordero muerto en brazos. La conocía: la Vieja Demdike, la abuela de Alizon.

Corrió. Las mujeres se reían de él. ¿Dos? ¿Tres? ¿O acaso era el mismísimo Diablo, que cruzaba el Portal del Crepúsculo?

John Law no paró de correr y caerse, hasta que una hora más tarde se derrumbó en la puerta del Dog de Newchurch, en Pendle. Tenía los labios cubiertos de espuma. Los hombres le desabrocharon la ropa. Law levantó tres dedos y pronunció una sola palabra: Demdike.

Alice Nutter

Alice Nutter salió de Rough Lee a lomos de su poni.

Lo guió hacia las laderas de Pendle Hill, donde se volvió para mirar su casa bajo la luz del sol incipiente.

Era una casa hermosa: de piedra, bordeada de robles, con una avenida de limeros que desembocaba en la puerta. Los setos de ojaranzo que rodeaban la casa se abrían en amplios y prácticos cuadrados hacia los establos, los gallineros, el estanque de los lucios y las perreras.

Allí había riqueza. Su riqueza. No había nacido con ella ni la había heredado. Su fortuna procedía de la invención de un tinte: un púrpura que resistía bien el agua y poseía una oscura intensidad muy curiosa; era como mirar un espejo de azogue. La reina había encargado cubas del tinte en cuestión y Alice había trabajado largo tiempo en Londres, donde tenía una tintorería y un almacén.

Sus conocimientos sobre plantas y tintes y sus nociones instintivas de química habían llamado la atención de John Dee, astrólogo y matemático de la reina. Alice trabajó con él en su laboratorio de Mortlake, donde Dee utilizaba el calendario lunar de trece meses. Dee creía haber elaborado un diminuto frasquito del Elixir de la Vida. Alice no lo creía. En cualquier caso, no había salvado a la reina ni a John Dee. Ambos estaban muertos.

Isabel no había dejado heredero. En 1603 la corona inglesa pasó a Jacobo VI de Escocia, que se convirtió así en Jacobo I de Inglaterra; un protestante, un hombre devoto, un hombre que no quería tintes ni caprichos. Un hombre con dos únicas pasiones: eliminar del reino en el que acababa de ser coronado el papismo y la brujería.

Quizá no habría que reprochárselo. En 1589, cuando llevó a su reciente esposa a Escocia procedente de Dinamarca, estuvo a punto de naufragar por culpa de una tormenta. Era brujería, lo sabía; ordenó juzgar y quemar a las brujas en Berwick y asistió personalmente a las sesiones.

En 1605, Guy Fawkes intentó hacerlo volar por los aires colocando bajo el Parlamento pólvora suficiente para que estallara medio Londres... Y todos los conspiradores eran católicos.

La Conspiración de las Brujas y la Conspiración de la Pólvora.

Sin embargo, todo buen católico vería torturar a una bruja en el potro hasta que se le dislocaran las articulaciones de los hombros y se le partieran las piernas por las caderas y los tobillos.

¿Y qué bruja salvaría a un jesuita del cuchillo que lo castraría primero y lo destriparía después, aún con vida?

Jacobo tenía suerte de que sus enemigos fueran enemigos.

No obstante, Alice se preguntaba hasta qué punto era segura la seguridad que se basaba en el odio.

Alice silbó. Voló un halcón. Un círculo. Un descenso en picado. La poderosa ave aterrizó en el brazo extendido de Alice. Sus largos guantes de equitación de piel no eran como los que llevaban las mujeres: eran gruesos y con doble costura. Mostraban las cicatrices dejadas por los descensos del ave. En cuanto el halcón se hubo posado, Alice le dio un ratón muerto que sacó del bolsillo.

Montaba a horcajadas. No tenía esa costumbre cuando iba a la iglesia de Whalley, a visitar al magistrado Roger Nowell, su vecino, a ver a los enfermos o a ocuparse de sus asuntos en la parroquia. En esos casos montaba a la mujeriega y vestía un traje de amazona color púrpura sobre la yegua cobriza.

Estaba hermosa. Era hermosa, a pesar de sus... ¿cuántos años? Nadie lo sabía. Era lo bastante mayor para que pronto estuviera criando malvas, o, cuando menos, cubierta de arrugas como las insípidas y modosas esposas de los hombres religiosos con amantes ocultas. Y, si no, tan desdentada y repugnante como las brujas y las viejas feas que no podían permitirse un caballo y montaban en escobas..., según decían algunos.

Eso era Lancashire. Eso era Pendle. Era tierra de brujas.

Sarah Device

—¡Métela en el agua!

En la orilla del río la mujer forcejeaba y pateaba. El hombre que estaba detrás de ella le sujetaba los brazos a la espalda y le ataba las manos. La mujer tenía el vestido desabrochado. El hombre que estaba delante de ella era alto, con la cabeza afeitada y la cara picuda como la de una rata. Le toqueteaba los pechos.

—Es la bruja Demdike que se escapó.

El alguacil Hargreaves, que maniataba a la mujer, no estaba tan seguro.

—Si fuera una bruja, Tom, habría que demostrarlo según la ley y las Escrituras.

—¿La ley y las Escrituras? Su abuela y su hermana están en el castillo de Lancaster por mutilar mediante brujería.

—¡No tenéis ninguna prueba de brujería! —exclamó la mujer.

El hombre llamado Tom le dio un bofetón en la boca.

—El buhonero John Law es amigo mío. Ha perdido las piernas, ha perdido el habla. La última palabra que dijo fue «Demdike».

—De la boca de John Law no salían más que mierda y alcohol.

El hombre volvió a abofetearla. Ella le escupió.

El alguacil Hargreaves había terminado de maniatarla. Era un hombre de movimientos torpes y con torpeza rodeó a Sarah Device hasta situarse delante de ella. Levantó tres dedos.

—John Law levantó tres dedos. Tres mujeres corrieron tras él por el bosque. Si no eras tú la tercera, dinos quién era.

—¡En su vida ha tenido John Law a tres mujeres corriendo tras él! Es feo como una cabeza hervida.

Tom Peeper le arrancó el vestido de los hombros y se lo bajó hasta la cintura.

—¿Feo? No tanto como para que te negaras a tumbarte de espaldas y a abrir las piernas cuando quisiste que te diera algunos lazos de su fardo.

—Era tan mezquino como feo, y tan gordo como cojo. Aunque hubiera pasado un día entero tumbada debajo de él, por la noche me habría levantado todavía virgen.

—¿Virgen, dices? Pero si naciste con las piernas abiertas.

—Gatos encarnados en mujeres, eso son las brujas, siempre tentando a los hombres para que pequen y se condenen.

Sarah Device le sonrió.

—Tommy, Harry, dejadme marchar. Os daré placer por vuestra generosidad.

Los hombres se miraron. Tom se desabrochó los calzones. Tenía el pene erecto.

—¿Echas de menos el palo de la escoba? Pues aquí tienes uno.

—No la mires a los ojos, Tom. Tiene la mirada de las Demdike —dijo Hargreaves.

—Desnúdala —ordenó Tom—. Busca las marcas de bruja. Viene a mamar de ti un gato, ¿no es verdad, Sarah? ¿Tibbs, quizá? ¿O es Merlín? He visto ese gato negro con ojos como brasas rojas.

—No me tocaréis hasta que me hayáis desatado —dijo Sarah—. Entonces haréis lo que os plazca.

—Haré lo que me plazca ahora mismo —replicó Tom—. Y no cuando me lo mande una ramera. Procura que no se mueva, Harry.

Tom Peeper violó a Sarah Device.

Fue rápido. Tenía práctica.

—Está mojada como una ciénaga para ti, Harry. Las mujeres Demdike están todas secas.

Un chiquillo se acercaba por la orilla con una caña de pescar. Se detuvo a mirar a la mujer con el vestido roto alrededor de los pies. Se disponía a echar a correr, pero Tom Peeper fue y lo agarró.

—La juventud tiene buena vista. Examínala a ver si tiene marcas de bruja. Vamos, Robert, pásale las manos por el cuerpo. ¿Te gustan sus pechos? No puede hacerte daño. —Tomó la mano del chiquillo y la puso sobre el torso de Sarah.

—Vuelve a tocarme y te maldeciré.

Tom Peeper se rió.

—Ahora que la Vieja Demdike está en prisión no tienes ese poder. No le tengas miedo, muchacho. Ven...

Se situó detrás de Sarah y de un empujón la obligó a ponerse de rodillas, se colocó a horcajadas sobre ella y apoyó todo el peso del cuerpo sobre los hombros de la muchacha. Sarah notó los testículos en el cuello.

—Sácate la polla, muchacho. Te la chupará si quiere volver viva a casa.

—Deja que primero me bese. Soy una mujer.

Tom hizo una seña a Hargreaves, que dio un empellón al muchacho para que se arrodillase delante de Sarah. No la miraba. Ella se inclinó y lo besó. Percibió el sabor del miedo en la boca del chico. Dejó de forcejear. Cerró los ojos. Sintió en la boca la lengua del muchacho. Estaba mareada. Llevaba dos días sin comer. Notó el calor del sol en la cara y una sombra fría en la espalda. Oyó el sonido de cascos. El Caballero Oscuro no tardaría en acudir en su busca. ¿No decía siempre eso Demdike? Hoy, mañana, al día siguiente.

El muchacho le puso las manos en los pechos y le tocó los pezones. Se estaba excitando. Sarah oía voces como si estuviera debajo del agua. La meterían en el río cuando hubieran terminado. La matarían. Hoy, mañana, al día siguiente.

Mordió.

El muchacho retrocedió, con un grito ronco que se ahogó en la garganta. Se desmayó. Sarah, que tenía la boca llena, escupió la lengua sanguinolenta al suelo. Se levantó, con la boca abierta, cubierta de sangre. Se echó a reír..., una risa salvaje e histérica.

Tom desenfundó el cuchillo del cinto.

—Voy a cortarte ese gaznate de bruja, gata. —Echó el cuello de Sarah hacia atrás agarrándola del pelo hasta dejar la garganta expuesta y hacia el cielo. Ella abrió los ojos. Que venga.

El sonido de un caballo... cada vez más veloz, más cercano. Que venga.

Alice Nutter se abalanzó sobre Tom Peeper y lo derribó. Sarah Device se puso en pie y se apoyó en la grupa del poni. Estaba temblando.

El alguacil Hargreaves empezó a mascullar algo sobre desenmascarar a una bruja. Alice lo interrumpió.

—Es el magistrado quien decide qué mujer es una bruja. No la chusma.

—¡Hechizó a John Law! —dijo Hargreaves.

—Eso es mentira —se defendió Sarah—. No he sido acusada.

Tom Peeper se puso en pie y levantó de un tirón al muchacho mutilado. Apartó las manos de Robert de la boca ensangrentada.

—¿Veis esto? ¿Qué mujer que no sea bruja le haría esto a un hombre?

—¿Qué hombre que sea un hombre le haría esto a una mujer?

Los hombres no respondieron.

—Llevad al muchacho a la herbolaria de Whalley y decidle que los gastos corren de mi cuenta.

—¡La herbolaria es una bruja! —exclamó Tom.

—Sí, y como ella todas las parteras, según los de vuestra calaña. Lleváoslo y ocupaos de que lo atiendan antes de que muera ahogado en su propia sangre. Sarah Device..., súbete el vestido. Vendrás conmigo. —Entregó a Sarah un trapo que sacó de la alforja para que se limpiara la boca. Sarah no dijo nada. No podía dejar de temblar—. ¡Alguacil Hargreaves! Desatadla.

Hargreaves cortó las cuerdas con una sola cuchillada, sin importarle un ápice arrancar la piel de las muñecas de Sarah. Luego se agachó y recogió la lengua seccionada.

—¿No la querrá para llevársela a su abuela Demdike al castillo de Lancaster?

Alice Nutter no se inmutó.

—Envolvedla y entregádmela. —Miró de hito en hito a

Hargreaves hasta que él apartó la vista, sacó un pañuelo, envolvió el objeto y se lo dio. Alice lo guardó en la alforja.

Hargreaves parecía a punto de decir algo, pero Alice Nutter no era de esa clase de mujeres.

Sin mirar siquiera a Sarah, que se sujetaba a la correa del estribo, Alice se alejó a lomos de su montura.

Hargreaves y Tom Peeper la observaron. No hablaron hasta que estuvieron seguros de que no los oiría.

—Monta a horcajadas como un hombre —dijo entonces Hargreaves—, y cabalga con el pájaro, aunque no hay mujeres halconeras. Te digo que no me fío de ella. Una mujer a horcajadas y un halcón que la sigue... ¡es antinatural!

—Y se ha puesto de parte de la bruja.

—Te digo que son de la misma calaña.

—No estarás llamando bruja a Alice Nutter, ¿verdad, Harry?

—Todavía no, Tom, y menos aún en público, pero son muchos los que en privado tienen algo que decir sobre su riqueza y su poder, y sobre a quién apoya y a quién no... y por qué. ¿Por qué permite que las Demdike vivan en Malkin Tower, en sus tierras?

—No puedes acusarla.

—Yo no. Pero hay alguien que lo haría si tuviera pruebas.

Tom Peeper asintió.

—En ese caso, Harry, mejor será que vayas a Read Hall y le cuentes al magistrado Nowell lo que ha ocurrido.

Roger Nowell

Roger Nowell era un hombre apuesto. Sabía leer y también cabalgar. Disfrutaba tanto de una obra de teatro como de una pelea de gallos. Era el magistrado de Pendle Forest y el señor de Read Hall, la mejor casa de Pendle.

Habían llevado ante su presencia a la Vieja Demdike y a su nieta Alizon, acusadas de lisiar al buhonero John Law mediante brujería. Madre Chattox declaró contra ellas. Las había visto ese día en Boggart's Hole.

Sin embargo, la Vieja Demdike era astuta y se volvió contra Chattox, su acusadora, acusándola a su vez de ser una bruja desde que estaba en el útero materno. «Dos veces bautizada: la primera por Dios, la segunda por Satán. Tiene las marcas.»

Puesto que ambas se acusaban de brujería a gritos, y puesto que John Law estaba en el lecho de muerte, Roger Nowell tuvo que decidir: mandarlas a Lancaster a la espera del juicio o entregarlas a la chusma para que les dieran un chapuzón que sin duda terminaría con las dos mujeres ahogadas.

Esperaba aplacar los ánimos enviándolas a juicio; le desagradaba la babeante excitación de la chusma. Pero la espectacular noticia de la existencia de semejante nido de brujas se extendió mucho más allá de Lancashire y no tardó en llegar a Londres. Roger Nowell se veía obligado a recibir en Read Hall a un visitante indeseado: Thomas Potts, de Chancery Lane, secretario judicial de la Corona.

—¿Qué más queréis? —preguntó Roger Nowell—. La Demdike y la Chattox serán juzgadas en las audiencias de agosto. Nada resta que decir o hacer, y preferiría retomar mis funciones habituales cuando haya pasado la Pascua.

Potts se hinchó en su gorguera. Era un hombre menudo y orgulloso como un gallito: todo plumas y nada de pelea.

—El rey Jacobo es una autoridad en brujería. ¿Qué otro monarca ha escrito un libro sobre el tema?

—¿Qué queréis decir? —preguntó Roger Nowell.

—Quiero decir, señor, que si os hubierais tomado la molestia de leer *Daemonology* entenderíais lo que el rey, en su sabiduría, entiende: que donde hay una bruja, hay muchas. Aquí tenemos cuatro…

—Todas en prisión.

—La Demdike tiene familia. Madre Chattox tiene familia. Serpientes, señor. Lo reitero: serpientes.

Potts gustaba de repetir las cosas. Una y otra vez. Roger Nowell se controló.

—He leído *Daemonology* del rey Jacobo y mucho más sobre el tema de la hechicería. La familia de mi madre fue víctima de una posesión demoníaca.

—Eso me han dicho —repuso Potts.

—Por eso os digo, como magistrado del distrito de Pendle, que serán juzgadas cuatro brujas. No hay más acusadas.

Potts recorrió airado la habitación.

—Acusadas, no. ¿Inmersas en sus repugnantes labores? ¡Sin duda! No hay en toda Inglaterra un condado tan famoso por sus brujas como Lancashire. La abadía de Whalley, antes de que el rey Enrique VIII la destruyera en su justa y sabia Reforma, fue el sacrílego altar de la anacoreta Isolde de Heton. La anacoreta se convirtió en bruja.

—Veo que habéis estudiado nuestra historia en vuestro tiempo libre —observó Roger Nowell.

Potts carecía del sentido de la ironía.

—Y la tal lady Isolde, aunque mejor haríamos en llamarla «gata» o «vieja arpía» que «lady», cuando fue descubierta huyó de la abadía y erigió su fortaleza en Malkin Tower, hoy hogar de la bruja Demdike.

—Albergó ovejas y cerdos durante los años que mediaron entre ambas. Las Demdike viven lejos de los pueblos y causan menos daño que en cualquier otro lugar. La tierra es propiedad de Alice Nutter. Es viuda. Puede hacer lo que le plazca con su propiedad.

Potts lo miró furioso. Le gustaba que lo tomaran en serio.

—Es sabido, señor, como bien señaló la más alta figura del reino, cuán negligentes sois en Lancashire a la hora de perseguir y aplastar el mal. Mañana es Viernes Santo. Cuento con que se celebre un sabbat en Pendle Hill.

—¿De veras? —dijo Roger Nowell—. Yo estaré en la iglesia. En Whalley.

Le complació ver que su visitante enrojecía de indignación, pero Potts no estaba dispuesto a darse por vencido.

—Puesto que os tomáis el mal de la brujería tan a la ligera, ¿qué tenéis que decir respecto al otro asunto?

Roger Nowell sabía lo que venía a continuación.

Potts volvió a hincharse.

—¿Acaso habéis olvidado que hace solo seis años, tras la Conspiración de la Pólvora, urdida para arrebatar la vida al rey legítimo, coronado y ungido por Dios, todos los conspiradores sin excepción huyeron a Lancashire?

Roger Nowell no lo había olvidado.

—¿Qué es peor, señor? ¿Una misa solemne o una misa negra? ¿Practicar la brujería o practicar la antigua religión? Ambas son alta traición contra la Corona. Brujería y papismo, papismo y brujería. ¿En qué se diferencian?

—¿Insinuáis que una misa celebrada en el nombre de Dios es un sacrilegio? ¿Comparable a la misa negra del Príncipe de las Tinieblas?

—Ambas son diabólicas —afirmó Potts—. Desleales y diabólicas. Diabólicas y...

—Desleales —le interrumpió Roger Nowell.

—Me alegro de que por lo menos en eso estemos de acuerdo —repuso Potts—, pues, aunque se haya hecho tan poco por limpiar de estas tierras la mancha de la brujería, menos se ha hecho aún por perseguir a quienes son leales al rey solo de palabra y profesan la antigua religión.

—Si os referís a sir John Southworth...

—Así es —confirmó Potts.

—Sir John paga sus multas en calidad de recusante católico, por no asistir a la comunión anglicana, y no hace ningún daño. No es jesuita. Es un anciano que sigue con discreción los dictados de su conciencia. No celebra misa ni oculta a ningún sacerdote. Además, es amigo mío.

Potts miró a su anfitrión fijamente, con un fulgor en los ojillos.

—No elegís con prudencia a vuestros amigos, señor.

—Lo conozco de toda la vida —repuso Roger Nowell.

—¿Y qué me decís de su hijo, Christopher Southworth, el jesuita?

Roger Nowell se sintió incómodo. Era un mal trago.

—Christopher Southworth es un traidor, lo admito. Si estuviera aquí, lo arrestaría, pese a la amistad que me une a su padre. Pero escapó de prisión tras participar en la Conspiración de la Pólvora. Está en Francia. Bien lo sabéis.

—Sé que prepara sacerdotes siguiendo las órdenes del padre Gérard en Douai y que los envía en secreto a Inglaterra. El mismísimo Papa sufraga y protege la Misión Inglesa.

—Eso he oído. Apresadle pues en Francia.

—Lo hemos intentado. En un país católico pocas son las posibilidades de éxito.

—En ese caso, desistid.

Los ojillos de Potts se abrieron de par en par.

—¿Desistir? Inmensa es la recompensa. Y pensad en la gloria. En el ascenso. Si interviniera en la captura de Christopher Southworth, el rey Jacobo me ascendería.

A Roger Nowell le habría encantado levantar a Potts del suelo y arrojarlo al fuego. Sin embargo, se obligó a hablar de forma razonable.

—Christopher Southworth es un traidor, pero no un necio. Si pusiera los pies en Lancashire, yo me enteraría en menos de un día. Jamás regresará.

—Quizá sí —dijo Potts—. He mandado arrestar a su hermana.

Roger Nowell no se lo esperaba.

—¿A Jane? ¡Es protestante! Es la única Southworth que ha renunciado a la antigua religión..., sir John no le habla..., no podéis arrestarla por...

—Por brujería —le interrumpió Potts.

—¡Eso es una sandez!

—Me parece que os lo tomáis todo muy a la ligera. Han acusado a Jane de provocar una enfermedad mortal clavando alfileres en una muñeca. Su criada enfermó y a punto estuvo de morir. La madre de la criada encontró la muñeca erizada de alfileres. Jane Southworth ha sido arrestada.

—¿Arresto domiciliario?

—Está en el castillo de Lancaster.

—¿Con Demdike y Chattox?

Antes de que Roger Nowell pudiera preguntar algo más a Potts, hicieron pasar a Harry Hargreaves.

El alguacil Hargreaves empezó a relatar con su lentitud y torpeza habituales el episodio con Sarah Device y Alice Nutter. Roger Nowell apenas podía contener la irritación. No le escuchaba. Aunque no apreciaba a Alice Nutter, difícilmente la acusaría de brujería. Estaba mucho más preocupado por Potts y los Southworth.

Potts se mostró encantado con la noticia de Hargreaves. Quería que salieran todos a caballo hacia Malkin Tower de inmediato, pero Hargreaves tenía algo interesante que añadir.

—Mis espías me han informado de que una banda de personas viaja en estos momentos por el bosque..., desconocidos..., quizá vagabundos, sí, que piden limosna por Pascua..., o quizá tengan relación con la misa negra del Viernes Santo que, según sospechamos, se celebrará mañana en Pendle Hill.

Potts, regocijado con semejante posibilidad, ordenó a Hargreaves que reuniera a algunos hombres. Irían a la cima de Pendle Hill y esperarían allí.

Roger Nowell se tranquilizó al verlos partir juntos. Potts no podía haber llegado en peor momento a Lancashire. A Roger Nowell no le interesaba la brujería; superstición e insidia, pensó. Tenía trabajando a sus propios espías y esperaba otra noticia.

¿Es él? ¿El jesuita?

Sí.

¿Lo apresamos?

Seguidle.

¿Adónde va?

A Lancashire, donde está su hogar. A Pendle Forest, donde está su corazón.

Malkin Tower: Viernes Santo de 1612

Un extraño grupo agreste y harapiento de hombres y mujeres comenzaba a llegar a Malkin Tower.

Mouldheels había partido de Colne a pie y pedido limosna, maldecido y escupido durante todo el camino, dejando tras de sí su habitual hedor; no llevaba escoba, solo un gato tan limpio como podrida estaba su dueña. La carne de Mouldheels se desprendía del cuerpo como si estuviera cocida. Y los pies le apestaban a carne muerta. Ese día los llevaba envueltos en trapos que ya empezaban a rezumar.

Estaba la hermosa Margaret Pearson, de Padiham, que obtenía comida gracias a los favores que concedía a los braceros. Los dueños del molino, de religión puritana, la llamaban ramera de caminos y la golpeaban si se acercaba a buscar cebada. Sin embargo su hijo nunca la rechazaba. La fornicación era pecado, pero no si se practicaba con una bruja que te había hechizado.

John y Jane Bulcock estaban también allí. Había quien decía que eran marido y mujer; otros aseguraban que eran hermanos, aunque dormían en la misma cama.

Elizabeth, la hija desfigurada de la Vieja Demdike, había

convocado la reunión. Su hijo James, «Jem» Device, había robado un cordero que se asaba para el banquete.

Además estaba la pequeña Jennet Device: depravada, miserable, desnutrida y maltratada. Su hermano la llevaba consigo al Dog para pagar así las bebidas. A Tom Peeper le gustaba que sus conquistas sexuales fueran demasiado jóvenes para quedarse preñadas.

Hacía mucho tiempo que la torre no veía tanto ajetreo. Habían montado la mesa con unos cuantos tablones colocados sobre caballetes y no había platos. Se arrancaba la carne del cordero que chisporroteaba sobre el fuego humeante y se servía directamente en la mesa. Cada asistente había llevado consigo un tazón para que se lo llenaran de cerveza.

Malkin Tower era un edificio de piedra achaparrado y redondo, de sólida construcción y extraño emplazamiento, solitario y remoto, sin función concreta que nadie acertara a recordar y sin habitantes conocidos salvo la familia a la que llamaban los Demdike.

La torre bien podría haber sido una prisión: como tal se elevaba, lúgubre y sin ventanas, salvo las ranuras que miraban a este y oeste, a norte y sur, como ojos entrecerrados y recelosos. La rodeaba un foso de aguas estancadas, lleno de gruesas algas verdes. Allí jamás brillaba el sol.

Era casi mediodía y había once personas presentes cuando Alice Nutter apareció a lomos del poni con Sarah Device caminando a su lado. La bizca Elizabeth salió a su encuentro. Saludó con una breve inclinación de la cabeza.

—¡Mi señora Nutter!

Alice la saludó a su vez, aunque sin efusividad.

—Ayer, cuando Sarah venía a verme para traerme un mensaje de tu parte, según dice, cayó en manos de Tom Peeper y del alguacil Hargreaves. Os aconsejo a ti y a tu familia que os mantengáis lejos de esos dos hombres.

La pequeña Jennet salió de la torre. Descalza. Harapienta. Escuálida y famélica, roía celosamente un pedazo de cordero grasiento, como una alimaña más que como una niña.

Alice Nutter desmontó y sacó hogazas de pan, mantequilla, manzanas y un gran queso de la alforja. Se lo dio todo a Elizabeth.

—¿Cuándo fue la última vez que comió esta niña?

—Hace tres días, como los demás. El párroco llama ayuno a la Cuaresma, pues es propio de la iglesia matar de hambre a los pobres. He ido a pedir a la iglesia y el párroco me ha dicho que el ayuno sienta bien a las mujeres. Le he contestado que entonces debo de ser la mujer más hermosa de Pendle.

Alice arrojó a Jennet su propia ración de pan y su queso. La niña huyó con ellos hacia los arbustos.

—¿Qué quieres de mí? —preguntó Alice.

—Entrad, señora, os lo ruego.

Era un espectáculo extraño. Era un grupo extraño.

Los invitados estaban embadurnados de grasa y aceite. En el centro de la tosca mesa de tablones quedaban los restos del cadáver del cordero, con un cuchillo carnicero clavado en el medio. Ya se habían comido la mayor parte de la carne. Había una jarra de cerveza en el suelo y una cazuela con nabos macerándose al fuego.

Cuando Alice entró, el grupo se puso en pie y la saludó con una inclinación de la cabeza.

Elizabeth Device estaba detrás de ella, con Sarah Device.

—Ahora hemos reunido a trece —dijo.

Alice Nutter empezó a entender.

—No soy una de vuestros trece —repuso.

Se volvió para marcharse. Jem Device estaba detrás de ella. Aguardaba apoyado en la puerta, con una tosca hacha en la mano. Alice miró en derredor. La torre no disponía de más puertas ni había otra forma de escapar. Percibía un intenso hedor a podrido.

—He convocado esta reunión —dijo Elizabeth Device— para que entre todos liberemos a mi madre Demdike y a mi hija Alizon del castillo de Lancaster. Liberaré incluso a las Chattox si nos ayudan.

Agnes Chattox asintió.

—¿Qué tiene eso que ver conmigo? —preguntó Alice—. Si deseas que interceda por vosotros ante Roger Nowell, lo haré. No porque seáis brujas, sino porque no lo sois. La brujería es superstición.

Un murmullo recorrió la mesa. Elizabeth volvió a hablar.

—Alice Nutter, mi madre, la Vieja Demdike, os conocía bien, ¿acaso lo negáis? —Alice no respondió. Elizabeth prosiguió—. Fuisteis su amiga, en tiempos mejores, en tiempos ya olvidados. Tenéis el don de la magia y lo aprendisteis de John Dee, el mago de la mismísima reina.

—John Dee está muerto —replicó Alice—. No era mago, sino matemático.

—¿Y Edward Kelley? ¿También era matemático?

Alice se quedó sorprendida. Edward Kelley era el más famoso de los médiums y espiritistas. Había sido íntimo de John Dee en

Manchester y en Mortlake. Además, había sido amante de Alice Nutter. Hacía muchos años. Llevaba mucho tiempo muerto.

—¿Qué quieres de mí? —repitió Alice.

—Que hagáis saltar por los aires la prisión de Lancaster y liberéis a la Vieja Demdike y a Alizon, a la Chattox y a su hija, Nance Redfern. Que las liberéis por ensalmo. No es mucho pedir de una mujer con vuestra magia, y os serviremos como hemos servido a la Vieja Demdike.

—Yo nunca he servido a la Vieja Demdike —gritó Agnes Chattox.

—La idea general es correcta —afirmó Elizabeth—. En cuanto a ti, Agnes Chattox, ¿servirás o no a la señora Nutter?

—Lo haré si hace un hechizo.

—Yo no sé hacer hechizos —dijo Alice—. No practico la magia.

—Entonces, ¿cómo habéis conseguido el dinero? Entonces, ¿cómo habéis conseguido la juventud? Miraos, fuerte y sin una sola arruga, y sin embargo no sois mucho más joven que la Vieja Demdike, que tiene ochenta años.

Los presentes se quedaron de una pieza. Alice se sentía incómoda pero mantuvo la calma.

—No tengo la edad que crees. Conocí a tu madre siendo joven y ella contaba con sus propios métodos para tener un aspecto juvenil. Lo que ocurría era que Demdike tenía juventud cuando otras tenían edad, no que yo tuviera edad y ahora tenga juventud.

La respuesta resultó lo bastante confusa y los presentes estaban convencidos de los poderes de la Vieja Demdike. Jem Device empezó a patear la puerta con el talón.

—¡Obligadla, obligadla a jurar!

Los demás empezaron a golpear la mesa al ritmo de las patadas de Jem.

—¡Obligadla, obligadla a jurar, obligadla, obligadla a jurar! —Los golpes y el cántico se volvieron más estruendosos y desenfrenados. Ya estaban borrachos y comenzaban a embriagarse con la idea del poder.

Jem Device se acercó a la mesa y arrojó el hacha. Sacó un cuchillo y lo alzó ante su madre.

—Toma su sangre... oblígala a jurar.

Elizabeth palideció.

—No puedo tomarla, Jem. Es demasiado poderosa.

—No es tan poderosa como para sangrar —exclamó Jem. Se acercó rápidamente a Alice con el pequeño cuchillo y le practicó un corte en el brazo. Alice sangró.

La sangre empapó la manga y empezó a gotear en el suelo. El grupo se abalanzó hacia la sangre, la tocó con las manos, se chupó los dedos. Alice se sentía como si la atacaran ratas; cuanto más las empujaba, más se apiñaban.

Alice corría peligro y sabía que solo tenía una oportunidad. La aprovechó.

—¡Arrodillaos! —exclamó.

El grupo retrocedió atemorizado. Alice repitió la orden y, arrebatando el cuchillo a James Device, que seguía en pie, le mandó que se arrodillara ante ella. Él obedeció.

Alice Nutter no vaciló. Le abrió la camisa de un tirón y le trazó en el pecho un triángulo de sangre que amplió hasta crear una estrella de cinco puntas, superficial y sangrante. James Device temblaba de terror.

—James Device, responderás ante mí, tu señora, de todos tus actos y, si no, Satán se llevará tu alma. ¿Me oyes?

—Sí, señora.

—Comed de él.

Alice Nutter retrocedió mientras el grupo se abalanzaba sobre James como antes se habían abalanzado sobre ella. Lo cubrieron, cual sanguijuelas, cual murciélagos. Solo Elizabeth y Sarah se abstuvieron.

—¿Nos guiaréis pues? —preguntó Elizabeth.

Antes de que Alice tuviera tiempo de responder, alguien golpeó con fuerza la puerta. Las criaturas que se alimentaban de James Device interrumpieron el repugnante banquete y se levantaron. Los golpes en la puerta se repitieron.

—Abrid la torre en nombre del magistrado.

Alice indicó con un gesto de la mano que volvieran todos a sus puestos. James se abrochó el cuello de la camisa. Alice retrocedió. Elizabeth abrió la puerta.

Allí estaban Roger Nowell, el alguacil Hargreaves y Tom Peeper.

Confrontación

—Tenéis desgarrado el traje de montar —observó Roger Nowell al acercarse a Alice Nutter.

—Mi poni se ha desbocado —repuso ella mirándole a los ojos.

—Vaya, un banquete —dijo Roger Nowell—, y con carne además, en Viernes Santo, cuando la norma es que se coma pescado.

—Los pobres tienen sus propias normas —afirmó Alice—. Los pobres deben comer lo que pueden cuando pueden. Esta Pascua los Demdike no han recibido limosna de la iglesia, de vos ni de nadie. He venido con provisiones. Ese es el propósito de mi visita.

—¿Habéis traído vos ese cordero? —preguntó Roger Nowell.

—James Device, te arresto por el robo de un cordero —dijo el alguacil Hargreaves.

—¡Demostradlo! —exclamó Elizabeth—. Los Demdike ya hemos sufrido bastante por vuestra culpa. —Se volvió hacia Roger Nowell—. Y por la vuestra, buen magistrado de la ley. Me gustaría ver cómo os llevan al cepo con la misma premura y maña con que mandáis a prisión a mi gente. Me gustaría ver cómo os arrojan basura y os empapan en orines.

Hargreaves la abofeteó. Ella le escupió.

Roger Nowell la miró asqueado. Elizabeth Device era fea y estaba sucia. La gente la temía por la extrañeza de la deformidad de sus ojos. Uno miraba hacia arriba y el otro hacia abajo, y ambos estaban torcidos en el rostro. Tenía el pelo blanco, pese a que aún no había cumplido los cuarenta, y la piel arrugada y pegada a los huesos. Había estado casada una vez, pero regresó con sus hijos a Malkin Tower para vivir con la Vieja Demdike. En una ocasión, quizá nueve años atrás, la habían violado. Jennet Device, la niña harapienta, era el fruto de la violación.

Elizabeth era feroz. Suplicar nunca le había servido de nada. Si no podía inspirar compasión, podía provocar temor y desagrado.

Roger Nowell observó al grupo: andrajosos y borrachos, apestosos e insolentes.

—Tenemos información de que hay previsto un sabbat en Pendle Hill. Sois trece. Trece es número de brujas y el número de participantes en los aquelarres para desafiar a los doce más uno, que eran Cristo y sus discípulos. Profanáis el día comiendo carne. Vuestras parientes han confesado practicar la brujería. Os mantendremos vigilados en Malkin Tower para interrogaros y obtener pruebas… con los medios que consideremos oportunos.

Alice Nutter dio un paso adelante.

—Y si Sarah Device hubiera muerto en el río esta mañana, ¿acusaríais a Tom Peeper y al alguacil Hargreaves de asesinato?

—Dar muerte a una bruja no es asesinato. Es la ley de las

Escrituras —respondió el alguacil Hargreaves—. «No dejarás con vida a la hechicera.» Éxodo, capítulo veintidós, versículo dieciocho.

Roger Nowell miró a Alice Nutter. Estaba desconcertado.

—Me sorprende encontraros aquí, señora.

—Vuestro cálculo de trece me incluye. ¿Acaso soy yo una bruja? E incluye también a esta niña harapienta. ¿Acaso es una bruja? —Jennet Device pasaba en ese momento junto a la puerta como una exhalación.

Alice cogió los guantes y bajó los escalones de la torre.

—¿Vais a permitir que se marche? —preguntó Tom Peeper.

Tom Peeper y Roger Nowell siguieron a Alice hasta el lugar donde había empezado a desatar al poni.

—Señora Nutter, soy el magistrado del distrito de Pendle —dijo Roger Nowell—. Debo tomarme en serio estas cuestiones. John Law está en el lecho de muerte. Demdike y Chattox se han declarado culpables.

—Está de parte de las brujas —afirmó Tom Peeper. Sin previo aviso, se lanzó hacia delante y cogió las riendas del poni. Alice le azotó en los hombros con la fusta, pero el rostro contraído de Peeper mostraba una expresión triunfal—. Buscad en las alforjas, vamos. Ella sabe bien lo que tiene ahí, ¡y yo también!

Alice retrocedió. Roger Nowell metió la mano en una de las alforjas de cuero y sacó un puñado de avellanas. Las arrojó al suelo y, sin apartar la mirada de Alice, hurgó y rebuscó en la segunda alforja. Sacó el pañuelo empapado en sangre.

—¡Qué es esto, en el nombre de Dios!

—Es la lengua de Robert Preston —respondió Alice Nutter.

—¡La ha cogido para crear una réplica del Diablo! —gritó Tom Peeper.

—La he cogido como prueba —dijo Alice—. Habéis amenazado a Sarah Device con meterla en el agua y la habéis violado.

—Eso dice ella —replicó Tom Peeper—. El muchacho la estaba besando por diversión. Era pura diversión, señor Nowell.

Roger Nowell sostuvo la lengua negra e hinchada a cierta distancia. Luego arrojó ese órgano los arbustos.

—Señora Nutter, debo pediros que vengáis a verme a Read Hall esta tarde a las seis.

Alice asintió, montó en el poni y dio media vuelta para marcharse. Luego tiró de las riendas y le dijo a Roger Nowell:

—Yo les he dado el cordero.

Escondida entre los arbustos, la niña Jennet Device lo había visto todo. En cuanto los hombres se marcharon, salió como un rayo, recogió las avellanas y fue a buscar cualquier otra cosa que hubiera caído en las inmediaciones.

Empieza

Alice Nutter estaba en su estudio cuando tuvo la inconfundible sensación de que alguien la observaba.

El estudio tenía las paredes revestidas de roble y una gran mesa, también de roble, debajo de la ventana, con dos candeleros de plata encima.

Alice Nutter estaba sentada leyendo una carta que su amante Edward Kelley le había enviado muchos años atrás. Se la había mandado poco después de que John Dee y ella estuvieran juntos en Amsterdam realizando ciertos experimentos alquímicos. Edward Kelley había invocado un espíritu, un familiar, al que llamó Triunfo, y en la carta le prometía a Alice que, si alguna vez se encontraba en un aprieto, podía llamar a Triunfo. El método para invocarlo se describía en la carta, que contenía un mechón descolorido del cabello de Edward Kelley.

Alice dejó la carta. Le preocupaban los acontecimientos del día y le preocupaba algo más que no alcanzaba a comprender. Se levantó y se acercó a la ventana. El aire era templado fuera, pero el estudio se había vuelto frío y extrañamente oscuro. Cerró la ventana, sacó la yesca y el pedernal de la caja, encendió las velas y contempló cómo oscilaban y ardían las llamas. Así se estaba mejor en la habitación, pero seguía teniendo frío, de modo que se agachó para encender el fuego con leños de manzano amontonados en el gran hogar. Un criado podría haberse encargado de eso, pero a Alice siempre le había gustado encender su propia lumbre. La madera prendió y crepitó.

Pronto tendría que cabalgar hasta Read Hall para asistir a la cita con Roger Nowell.

Retomó la lectura de la carta de Edward Kelley. Leyó en voz alta:

—«Y si le llamáis, como a un ángel del norte con su oscuro atuendo, él os oirá y acudirá a vos. Le hallaréis, empero, donde puede ser hallado: en el Portal del Crepúsculo.»

Una ráfaga de aire barrió la estancia. La lumbre recién encendida se elevó y las llamas se salieron del hogar, lamieron la pantalla y la prendieron.

Alice corrió hacia la pantalla y en ese momento oyó que un hombre la llamaba:

—Alice Nutter...

Apagó la pantalla con las manos desnudas y la dejó ardiendo sin llama para dirigirse hacia la puerta del estudio. La abrió y miró a ambos lados del largo y oscuro pasillo que llevaba a su habitación; no había nadie.

Volvió a entrar y cerró la puerta. La invadía un mal presentimiento. Sentía el estudio «ocupado»: esa fue la palabra que le vino a la cabeza. «Ocupado», y no por una persona, sino por una presencia.

—¿Quién anda ahí? —dijo. No hubo respuesta, solo la intensidad de la sensación—. ¿Quién anda ahí? —repitió. Esta vez se produjo un movimiento junto a la mesa debajo de la ventana. No podía ser una corriente de aire, pues la ventana estaba cerrada.

La carta de Edward Kelley estaba encima de la mesa. Mientras Alice la miraba, la carta se alzó —era la única forma de describirlo—, se alzó como si alguien estuviera leyéndola. Quedó suspendida en el aire, como si algo la sostuviera. ¿Una mano invisible? ¿Un viento sobrenatural? Estaba demasiado cerca de la llama de la vela y lo que fuera que la sostenía empezó a acercarla aún más. Alice siguió mirando como hipnotizada. El grueso papel comenzó a chamuscarse. Alice salió de su estupefacción, se abalanzó hacia delante y cogió la carta. En cuanto la tuvo en la mano, supo que algo la sujetaba. Reunió todo su valor.

—Actuaré cuando esté preparada —dijo—. Ahora vete.

La ventana se abrió de par en par. Una ráfaga de aire recorrió el estudio. La lumbre se había apagado. La llama de las velas no se movía.

Alice cerró la ventana y se aseguró de echar el pestillo. Al doblar la carta reparó en que, allí donde la quemadura había corrido la tinta, las letras parecían destacarse. «El Portal del Crepúsculo.» Eso era lo que la presencia quería que leyera.

Abrió un pequeño armario lleno de frasquitos y polvos, y guardó la carta entre las botellas. Lo cerró con llave. Luego, como medida de precaución, cogió una tiza y dibujó un símbolo en el dorso de la puerta del estudio. Jamás lo había hecho, pero había visto a John Dee hacerlo en numerosas ocasiones.

¿Era una forma de protección? ¿Una advertencia? ¿Una señal de reconocimiento?

Estaba iniciando el camino que siempre había evitado. El Sendero de la Izquierda, así lo llamaban.

No creía en la brujería, pero sabía por experiencia que existía lo que se conocía como magia. «La magia es un método —había dicho John Dee—, nada más, y nada menos, que una manera de conseguir que las fuerzas sobrenaturales se hallen bajo el dominio humano.»

Presentía que estaba en peligro. Tendría que emplear cuantos métodos tuviera a su alcance para salvarse. No sería la primera vez.

Al otro lado de la ventana oyó que el criado sacaba la yegua cobriza. Fue a ponerse el traje de amazona púrpura. Había llegado el momento de acudir a la cita con Roger Nowell.

Read Hall

Read Hall era un edificio hermoso y seguro, antiguo y grande, con numerosas estancias medievales y ampliado con posteriores adiciones. La familia Nowell lo ocupaba desde principios del siglo xv. Roger Nowell estaba tan orgulloso de la casa como de su linaje.

Aunque la luna iluminaba bien el patio, el criado de Roger Nowell esperaba con una antorcha. Cuando Alice Nutter se acercó a lomos del poni, un segundo hombre corrió a su encuentro para coger las riendas. Alice se deslizó fácilmente de las jamugas. Su cuerpo era ágil y fuerte.

Roger Nowell era viudo. Alice Nutter era viuda. Ambos eran ricos. Podrían haber sido pareja. Las tierras de Alice lindaban con Read Hall. Pero no se habían cortejado; habían acudido a los tribunales. Roger Nowell reclamó una parcela. Alice Nutter afirmó que era de su propiedad. Ganó el pleito. Hasta entonces Roger Nowell jamás había perdido nada…, salvo a su esposa.

El criado la condujo al estudio, donde ardía un buen fuego. Una botella y dos copas aguardaban en una mesita. Era una estancia masculina y olía a tabaco, pero no era un olor desagradable. Nowell tenía libros y papel para escribir. A Alice le gustó.

La lumbre y las velas iluminaron el traje de amazona púrpura, que de pronto dio la curiosa impresión de estar hecho de agua envuelta en fuego. La luminiscencia del tinte era el secreto de la fortuna de Alice.

Roger Nowell entró y Alice se volvió hacia él sonriente. Durante un instante se quedó asombrado. Qué mujer más bella y orgullosa. También él sonrió.

No preguntó si quería vino, sino que le sirvió una de las copas de plata.

—Hospice de Beaune —dijo—. Lo trajo de Borgoña un jesuita.

Bebió y volvió a llenarse la copa.

—Maldita sea, lo de los papistas es una pena. Tienen mejor vino que los protestantes.

—Y hasta los protestantes tienen mejor vino que los puritanos.

Roger Nowell se rió.

—Señora Nutter..., no me malinterpretéis. Me importa poco la forma de culto que elija un hombre, o si es un sacerdote o su propia conciencia lo que guía sus oraciones. Me tiene sin cuidado si una anciana necia cree que Satán puede darle de comer cuando los demás se niegan a proporcionarle alimento. Pero soy un hombre práctico y tengo que cumplir con mi deber.

—¿Y cuál es esta noche vuestro deber?

—Interrogaros sobre las Demdike.

—Al parecer Lancashire rebosa de brujas —dijo Alice Nutter.

—Así lo cree el señor Potts, nuestro visitante. En estos momentos tirita en la cima de Pendle Hill buscando escobas en el cielo.

Nowell le sirvió más vino. Vestía un traje de terciopelo negro y caminaba sin hacer ruido, como una pantera. Alice jamás lo había encontrado atractivo. Nowell alzó la copa con una sonrisa.

—Brindo por Potts, nuestro abogadillo de Londres expuesto a los vientos.

Bebieron.

—No me gustan los abogados ni sus intromisiones —añadió Nowell.

—No obstante, me llevasteis a los tribunales por las tierras.

El comentario fue un error. La boca de Nowell se cerró hasta transformar la sonrisa en una línea. De pronto dejó de mostrarse cordial.

—Conocéis mi postura respecto a esa tierra. Sigo creyendo que me pertenece, pero estoy dispuesto a acatar la ley.

—También yo, señor. Sin embargo, en lo que se refiere a la ley y la brujería, las Demdike merecen compasión, no castigo.

—La reunión de Malkin Tower tenía algún propósito, señora, y creo que vos sabéis cuál era. ¿Me lo diréis?

—¿Acaso las convierte en brujas creer que lo son? No escaparán de Malkin Tower montadas en escobas, por mucho que el señor Potts desee verlas volar sobre Pendle Hill.

Roger Nowell asintió y guardó silencio durante un instante.

—En cualquier caso, las Demdike viven en vuestras tierras.

—Eso es caridad, señor, no un contrato de arrendamiento del Caballero Oscuro.

—¿Acaso conocéis a ese caballero?

Alice se quedó perpleja. No había contado con eso. Se volvió de espaldas. Nowell se situó delante de ella, apuesto, peligroso.

—No os acuso de ser una hechicera. Las Demdike y las Chattox utilizan muñecas con alfileres clavados y herraduras que colocan con las puntas hacia arriba para acabar con la suerte de un hombre y quizá con su vida. ¿Mutilaron a John Law? Estoy convencido de que corrió tanto que le estalló el corazón.

—En ese caso… —dijo Alice—. No comprendo…

Roger Nowell levantó la mano.

—He viajado por Alemania y por los Países Bajos. ¿Conocéis la historia de Fausto?

—Vi *Doctor Fausto*, la obra de Kit Marlowe, cuando vivía en Londres.

—Sabréis entonces que Fausto sella un pacto con Satán por mediación de su criado Mefistófeles. Ese pacto aporta riquezas y un poder inmensos a quienes lo firman con sangre. Tales hombres y mujeres son intocables. Salen airosos de los pleitos, por ejemplo.

Roger Nowell se interrumpió. Alice se sintió mareada. No dijo nada.

—Las riquezas de esas personas son a menudo un misterio. Compran una casa hermosa, encuentran grandes caudales, pero ¿de dónde procede el dinero?

Alice se volvió para mirarlo. Estaba enojada.

—Mi fortuna es fruto de mi industria. Obtuve una cédula real de la reina.

—Y conocimientos del mago John Dee —señaló Roger Nowell—. Sé más sobre vuestro pasado de lo que imagináis.

Durante un tiempo la familia de mi madre, los Starkie, estuvo poseída por demonios y tuvieron que consultar a John Dee cuando vivía en Manchester.

—Lo sé —repuso Alice—, como también sé que John Dee consiguió lo que los predicadores puritanos no habían logrado.

—Ahí es adonde voy —dijo Roger Nowell—. Ignoramos qué medios utilizó para conseguirlo, pero lo cierto es que los iguales se entienden.

—John Dee está muerto y no puede responder a vuestras acusaciones. Dejadle descansar en paz.

—Si es que descansa... Murió en mil seiscientos ocho, pero hay quien afirma haberlo visto en Pendle... visitándoos.

La estancia se había vuelto opresiva, como si un gran peso de hierro cayera lentamente del techo.

—Permitid que os lea algo —dijo Roger Nowell—. Es una noche ideal para la lectura.

Fue al escritorio, regresó y se detuvo delante de Alice con un libro encuadernado en cuero.

—Este volumen se titula *Discurso sobre el maldito arte de la brujería* y lo escribió un hombre al que conozco bien, un profesor de teología de Cambridge. Sentaos, os lo ruego. Escuchad sus palabras.

»"La base de toda brujería es una asociación o alianza entre la bruja y el Diablo, por la cual ambos contraen un compromiso mutuo ... el Diablo ..., por su parte, promete estar dispuesto a obedecer las órdenes de su vasalla, a aparecer en cualquier momento en la forma de cualquier criatura, a consultar con ella y a socorrerla y ayudarla."

Roger Nowell cerró el libro y miró directamente a Alice.

—Tenéis un halcón. ¿Es ese vuestro familiar?

—¿Qué queréis de mí? ¿La tierra en disputa?

Roger Nowell negó con la cabeza.

—No me gusta perder, pero tampoco me gusta mortificarme con mis pérdidas. Eso es agua pasada.

—Entonces, ¿de qué se trata?

—Explicad lo ocurrido en Malkin Tower.

—Fui a petición de Elizabeth Device. Les llevé comida. Acordé con Elizabeth Device que intercedería ante vos por su familia.

—¿Por unas brujas confesas?

—Esas mujeres son pobres. E ignorantes. Carecen de poder en vuestro mundo, de manera que han de adquirir cualquier poder que puedan en el suyo. Me inspiran compasión.

—¿Compasión? Elizabeth Device prostituye a sus propias hijas.

—¿Y qué hay de los hombres que pagan por ello? Tom Peeper viola a Jennet Device, de tan solo nueve años, el sábado por la noche y acude a la iglesia el domingo por la mañana.

—A vos rara vez se os ve en la iglesia —apuntó Roger Nowell.

—Si no podéis juzgarme por bruja quizá podáis acusarme de papista, ¿no es eso?

—Vuestra familia es católica —afirmó Roger Nowell.

—Como todas las familias de Inglaterra hasta que el rey Enrique abandonó la Iglesia de Roma. La Iglesia de Inglaterra no ha cumplido aún los cien años, ¿y os sorprende que tantos sigan profesando la antigua religión?

—No, eso no me sorprende —dijo Roger Nowell—. Me sorprendéis vos.

Permanecieron unos instantes en silencio.

—Sois testaruda —dijo Roger Nowell.

—No soy dócil —repuso Alice Nutter.

Nowell se acercó a su silla. Alice percibió su olor: a hombre, a tabaco, a pino. Nowell estaba tan cerca que alcanzaba a ver la sombra gris de la barba incipiente. Nowell le tomó la mano. La alzó hacia la luz y la observó mientras hablaba dulcemente.

—Os equivocáis si imagináis que no creo en un poder oscuro. Creo en Dios y, por lo tanto, también creo en el Demonio.

—Quien sin duda tiene mejores cosas que hacer que ayudar a las Demdike a lograr que las vacas dejen de dar leche, a robar ovejas y a hechizar buhoneros.

—En efecto. Muchas de las mujeres juzgadas por brujería en Berwick eran pobres e ignorantes, y se engañaban creyendo que tenían poder. Sin embargo, su cabecilla era un hombre que lo habría arriesgado todo por matar a un rey. ¿Y si nuestras brujas de Lancashire hubieran encontrado un cabecilla semejante? ¿Alguien cuyo conocimiento de las artes de la magia procediera directamente del Demonio? Fausto fue un hombre que selló un pacto así. Pero ¿una mujer en quien se combinaran belleza, riqueza y poder? ¿Qué no sería capaz de lograr?

—No tengo ningún poder especial.

—Al igual que Fausto, poseéis una extraña juventud. Muchos se admiran de vos, inmune al paso del tiempo.

—Soy experta en el uso de hierbas y ungüentos.

Roger Nowell asintió.

—¿Declararéis contra las Demdike?

—Nada tengo que declarar.

Nowell se levantó y se desperezó. Sonreía.

—Entonces quizá acudáis al juicio en calidad de otra cosa. Aunque no sea ese mi deseo, bien puede convertirse en mi obligación. De todos modos, por el momento me gustaría invitaros al teatro.

Alice se quedó absolutamente desconcertada.

—Al amanecer iremos a caballo a Hoghton Tower. Representan una nueva obra, escrita por William Shakespeare, que ha gozado de un gran éxito en Londres. Shakespeare fue durante un tiempo tutor en Hoghton Tower y, por gentil petición, su obra se representará allí.

—He visto algunas obras suyas en Londres —dijo Alice—. ¿De cuál se trata?

—*La tempestad.* Me han dicho que es sobre magia.

Antes de que Alice pudiera hablar, un criado entró corriendo en la estancia. Roger Nowell lo siguió de inmediato al cuadrado vestíbulo. La puerta principal estaba abierta. Fuera ladraban perros.

Alice se adelantó. En el vestíbulo había dos hombres a los que nunca había visto. Estaban salpicados de fango y manchados de sudor. Uno se limpiaba el rostro con un trapo húmedo.

—¿Dónde le habéis perdido el rastro? —preguntó Roger Nowell—. ¿En Salmsbury Hall?

Uno de los hombres volvió la cabeza para mirar a Alice. Roger Nowell se volvió y gesticuló con la mano para dar a entender que no se trataba de nada importante.

—Un fugitivo. Inesperado. Uno de mis hombres os acompañará hasta Rough Lee, puesto que no habéis traído ningún criado.

Escoltaron a Alice hasta su caballo. En el patio había media docena de hombres con antorchas llameantes. A su alrededor corrían sabuesos, algunos con el hocico pegado al suelo, otros olisqueando el aire como si cazaran fantasmas.

Durante el corto trayecto hasta Rough Lee, Alice vio cómo las antorchas se adentraban y avanzaban veloces entre los árboles mientras los hombres corrían tras los perros. El oscuro bosque parecía en llamas. Los árboles se iluminaban como piras funerarias. Le pareció ver cuerpos atados a los árboles, ardiendo, ardiendo, ardiendo.

Espoleó el caballo.

Los hombres se desplazaban en dirección opuesta a su casa, hacia el río. Salió la luna, refulgente. La montura de Alice se asustó. En el sendero, justo delante de los cascos del caballo, se alzaba una liebre enorme, toda ojos, orejas y sobresalto.

La liebre tenía una mirada que Alice conocía. Pero eso era una estupidez. No era más que una liebre.

Siguió adelante y despidió al criado de Roger Nowell al llegar a la puerta.

Comenzó a desabotonarse el traje de amazona mientras subía por las escaleras para acostarse. Solo llevaba la camisa cuando abrió la puerta que comunicaba el vestidor con el dormitorio.

Christopher Southworth estaba tumbado en la cama.

Christopher Southworth

Tenía los ojos azules como cristales en formación. Una cicatriz le cruzaba la cara desde la ceja izquierda hasta la comisura derecha de los labios.

Hacía seis años que Alice no lo veía. No esperaba volver a verlo. Llamaron a la puerta de la habitación. Alice arrojó una manta sobre Christopher antes de abrirla para coger el pastel de pollo y el vino que había pedido. Cerró con llave y corrió las pesadas cortinas de la ventana.

—¿Es a ti a quien persiguen, Kit?

—Antes dame de comer.

Eran como niños: comían deprisa, riendo, Alice con el corazón acelerado, el rostro de él sonriente. Había entrado en la casa al caer la noche, había subido al estudio por la pequeña escalera y se había deslizado por el pasadizo secreto que comunicaba con el dormitorio. Alice le acarició la cordillera de cicatrices que tenía bajo los ojos y le besó los párpados, una piel gruesa como el cuero.

Cuando lo habían capturado tras la Conspiración de la Pólvora, sus torturadores le cortaron el rostro con un hierro candente. Le dejaron ciego vertiéndole cera en los globos oculares. El curioso azul de los ojos se debía al elixir que le había salvado la vista. Pero nada podía ocultar las cicatrices.

—No deberías haber vuelto a Inglaterra, Kit. Esta vez te colgarán.

Christopher Southworth asintió y bebió más vino.

—Tenía que regresar. Han arrestado a Jane, acusada de brujería.

—¿A Jane? ¡Pero si Jane es protestante! Es el único miembro de tu familia que ha recibido la comunión anglicana.

—Es una trampa. Lo sé.

—¿Tanto desean tu cabeza?

—No descansarán hasta que todos los conspiradores de la Pólvora estemos muertos.

»El rey Jacobo ha puesto la mira en Lancashire, Alice. Cree que es el condado de Inglaterra que más ha de temer: por los traidores católicos o por las brujas.

—Han arrestado a Demdike y a Chattox y las han encerrado en el castillo de Lancaster para juzgarlas.

—Lo sé. Jane está con ellas. Las tienen en la Mazmorra del Foso a la espera de las audiencias de agosto. No sobrevivirá a ese suplicio..., una muerte instantánea sería más piadosa.

—Acabo de estar con Roger Nowell. No me ha dicho nada.

Alice le refirió a Christopher lo sucedido en Malkin Tower. Él la escuchó con atención, inquieto, tamborileando con los dedos sobre el poste de la cama.

—Nada de esto es casualidad o coincidencia. Aquí hay peligro. Escúchame, Alice. Retírate. Discúlpate. Muéstrate evasiva.

No te arriesgues por esa desdichada familia de vagabundos y ladrones a la que llaman Demdike.

Alice se apartó de él.

—¿Eres, a fin de cuentas, como el resto de los hombres? ¿No deben esperar justicia los pobres, del mismo modo que no esperan comida, una vivienda digna ni medios de subsistencia? ¿Es así como Jesús, tu salvador, trataba a los pobres?

Southworth estaba avergonzado. Solo Alice Nutter le hablaba así. Estaba acostumbrado a las discusiones de alta teología, a las grandes causas, a las pasiones inquebrantables, y ella le recordaba que los pobres sufren a diario por el mero hecho de ser pobres.

—Tienes razón —dijo—, pero no habrá justicia.

Alice meneó la cabeza.

—Razón de más para que haya amor.

—¿Amor? ¿Por los Demdike?

—Tú tienes un dios que perdona tu pasado —dijo Alice—. Yo llevo al mío todos los días conmigo.

—¿Por qué lo llamas mi Dios? ¿Cuál es el tuyo?

Alice no respondió. Estaba junto a la ventana contemplando el patio desierto y oscuro.

—Te contaré la historia de Elizabeth Southern.

Elizabeth Southern

Su familia era de Pendle Forest, como la mía, pero las separaba la colina. No nos conocíamos. Su familia tenía fama de practicar la brujería, pero a mí eso no me interesaba.

Me casé pronto con Richard Nutter y cuando murió, también muy pronto, hube de arreglármelas sola. Me fui a trabajar a Manchester, a la feria de paños, donde vendía mis tintes y otros productos.

Una mañana, cuando atendía mi puesto, un caballero distinguido y serio se acercó a preguntarme mi fecha de nacimiento. Se la dije, con cierta sorpresa, y rápidamente hizo unos cálculos al tiempo que asentía con la cabeza. Satisfecho, me preguntó si me importaría reunirme con él esa noche en una dirección. Me dijo que nada debía temer: su interés tenía que ver con la Gran Obra. Con la alquimia, dijo. «Soy el doctor John Dee.»

Me presenté en la casa a la hora acordada. En la habitación, además de John Dee, había otras dos personas: un hombre llamado Edward Kelley y Elizabeth Southern.

Esa mujer llevaba más de un año trabajando para John Dee. Tenía un don para las matemáticas y él le había enseñado a realizar los cómputos astrológicos que necesitaba para su obra. Utilizaba el calendario lunar de trece meses.

Edward Kelley era médium. Aseguraba que podía invocar a los ángeles y a otros espíritus.

John Dee me preguntó si deseaba ser la cuarta del grupo. Dijo que lo había visto en mi rostro y que lo había confirmado con mi fecha de nacimiento.

Le pregunté qué había visto, pero se limitó a decir que sería adecuada para la Obra.

Me ofreció una suma de dinero y me propuso que prosiguiéramos la Obra en Manchester hasta que llegara el momento de trasladarnos a Londres.

Como no tenía motivo alguno para volver a Pendle ni para quedarme en Lancashire, accedí.

Al cabo de varios meses, mientras elaboraba un preparado de mercurio, entró Edward Kelley y anunció que Saturno era favorable para la doble cópula. Llevó a la estancia a John Dee y nos pidió que nos desnudáramos e invocáramos el poder superior.

John Dee no quería, pero Edward le dijo que se le había aparecido un ángel en sueños y le había dicho que debíamos compartir nuestros cuerpos. La Gran Obra disolvería todas las fronteras. La Gran Obra convertiría una sustancia en otra, una identidad en otra. Nos fundiríamos. Nos transformaríamos.

Yo era tímida y recatada. Elizabeth Southern, no. Pidió a Edward Kelley que cogiera los grandes fuelles y avivara las llamas del horno a fin de caldear la estancia. Mientras él así lo hacía, sacó del armario unos gruesos vellones de oveja y los extendió en el suelo. Luego se desnudó.

Jamás he visto un cuerpo más hermoso en hombre ni en mujer. Era esbelta, bien torneada, aterciopelada, oscura, fuerte y sensual. Con ropa era como cualquier otra mujer bien formada, pero desnuda parecía cualquier cosa menos humana, o más que humana. No digo que fuera como una diosa, sino como un animal y un espíritu combinados en una forma humana. «Un ángel», dijo Edward Kelley.

Los dos hombres estaban erectos. Se acercaron a tocarla y ella les besó a ambos por igual. No mostraba vergüenza ni temor. ¿Qué sentía yo? Ni deseo ni miedo. Sentía orgullo. ¿Te parece extraño? Estaba orgullosa de ella.

John Dee y Edward Kelley copularon con ella por turnos. Al terminar, John Dee regresó a sus libros, pues nunca se encontraba cómodo con nada que no fuera un libro. Edward Kelley se quedó dormido. Se habían olvidado de mí y no me importó.

Había caído la noche y hacía calor en la habitación, el fuego del horno era rojo y habíamos bebido vino. Yo estaba desnuda pero tapada.

Elizabeth se apoyó sobre un brazo y me sonrió. Mirarla a los ojos era como adentrar la mirada en otra vida. Me besó en los labios. Me puso la mano entre las piernas y me acarició hasta que no quedó nada en mi mente salvo el color púrpura.

—Esto es nuestro amor —dijo.

Pasó otro año y nos trasladamos los cuatro a Londres, donde John Dee tenía un laboratorio en Mortlake. Poco después Edward Kelley y John Dee se fueron una temporada a Polonia. Durante casi un año Elizabeth y yo estuvimos solas.

Alquilamos un almacén en Bankside, donde proseguimos la

obra alquímica y donde descubrí, por pura casualidad, los secretos del tinte que ha cimentado mi fortuna.

Ese año, 1582, fue el más feliz de mi vida. Elizabeth y yo éramos amantes y vivíamos como tales, compartiendo una sola cama y un solo cuerpo. Yo la veneraba. Si yo era tímida, ella era atrevida; si yo vacilaba, ella se mostraba segura. Aprendí de ella la vida y aprendí de ella el amor como aprendí la astrología y las matemáticas de John Dee y la nigromancia de Edward Kelley.

Una noche se representaba una obra en el Curtain Theatre de Shoreditch, un lugar miserable y tumultuoso, pero que hacía nuestras delicias. No recuerdo qué vimos, pero sí recuerdo que asistió la mismísima reina.

Ocurrió que yo había perfeccionado el tinte púrpura y tenía un vestido que yo misma había teñido. Me lo puse para ir a la función y todos los presentes en el teatro volvieron la cabeza para mirarme, tales eran el brillo y la intensidad del tono.

Al día siguiente la reina me mandó llamar.

Ese fue el principio de mi fortuna y el de mis tribulaciones.

Elizabeth estaba celosa. Era celosa por naturaleza y tenía celos de mi éxito y de mi dinero. Yo me portaba mal porque no lo compartía todo con ella por igual. A medida que me enriquecía, invertía el dinero. Le compraba cuanto ella quería, pero jamás la traté como a una igual.

Y ya no me interesaba la Gran Obra. ¿Por qué iba a querer convertir el plomo en oro, cuando podía convertir en oro el oro?

Mi fortuna aumentó.

Y entonces llegó la oscuridad.

Un día, estaba enfrascada en mi tarea cuando oí ruidos terribles en el laboratorio de abajo, donde trabajaba Elizabeth. Corrí a la puerta; estaba cerrada con llave. Le supliqué que la abriera, pero fue en vano. Subí, cogí un hacha y rompí la puerta. Encontré a Elizabeth desplomada sobre la mesa, con el brazo bañado en sangre. La estancia olía a quemado.

Corrí hacia ella —mi amada, mi amante, mi amor— y vi un pergamino y papel sobre el escritorio. Elizabeth estaba callada y muy quieta. No sabía si se había desmayado o estaba muerta. Cogí un poco de agua y la hice volver en sí.

—He vendido mi alma —dijo—. He firmado con sangre.

Al día siguiente dejó la casa de Bankside y se trasladó a unas lujosas habitaciones en Vauxhall, cerca de los Pleasure Gardens. Vivían con ella un buen número de hombres y mujeres jóvenes. Todas las noches había fiestas y celebraciones. Durante el día la casa estaba cerrada y silenciosa.

Fui a verla muchas veces, pero sus criados tenían órdenes de no dejarme entrar. Ignoraba de dónde había sacado el dinero y supuse que se había convertido en la amante de un caballero o un duque.

Nunca creí lo que había dicho sobre su alma.

Y entonces John Dee realizó una breve visita a Londres.

El laboratorio había quedado vacío. Ambas habíamos abandonado la Gran Obra. John Dee vino a verme y me sentí avergonzada porque cuanto tenía se lo debía a él..., la gran oportunidad de mi vida me había llegado gracias a él.

—¿Acaso suponéis que la obra guardaba relación con el oro, con extravagancias como los tintes púrpura? ¿No suponéis que guardaba relación con el alma?

—Nada sé sobre el alma —respondí—. Se nos pide que vivamos como podamos mientras podamos.

—¿Creéis en Dios?

—Me parece que no.

John Dee asintió.

—¿Creéis en la vida venidera?

—Me parece que no.

—Sin embargo, habéis visto muchas cosas extrañas conmigo. Apariciones, espectros, incontables visiones de forma no humana.

—Creo que todo eso es la magia de nuestra mente, no visitas de otros lugares.

—En ese caso, nuestras mentes deben de ser multitudes.

—Creo que somos mundos comprimidos en forma humana.

John Dee me miró y sonrió.

—Mundos comprimidos en forma humana. Me gusta que digáis eso. Seáis lo que seáis, no sois una pragmática como temía. Y creo que guardaréis los secretos que conocéis: nuestros secretos de alquimia y nuestro elevado objetivo.

Le aseguré que podía confiar en mí y dijo que siempre lo había creído. Entonces su rostro se nubló.

—Elizabeth. No puedo salvarla. Ha tomado el Sendero de la Izquierda.

—¿Decís que existe un Diablo (horca, pezuñas, Infierno), que le ha robado el alma? ¿Eso decís?

—El Caballero Oscuro no tiene horca ni pezuñas, pero es el Señor del Infierno.

Esa noche escribí una carta a Elizabeth para suplicarle que accediera a verme.

La red

Christopher Southworth estaba de pie. Se oía alboroto en el patio, al otro lado de la ventana. Alice se asomó. Vio a Harry Hargreaves, que hablaba enojado con el mozo de cuadra. Sus hombres habían prendido a alguien.

Christopher se puso las botas y se colgó la daga. Alice le dio una llave.

—Mi estudio está cerrado. Que nadie te vea hasta que vaya a buscarte.

Alice se recogió el pelo, se puso una bata y tomó una vela.

Cuando estaba a punto de salir, Christopher la agarró del brazo.

—Has dicho que eso ocurrió en mil quinientos ochenta y dos. Han pasado treinta años, Alice. ¿Qué edad tienes?

Ella no respondió. Abrió la puerta y bajó. Vio a sus criados en el vestíbulo. El alguacil Hargreaves y James Device estaban allí.

—¡James! ¿Te han apresado por cazar furtivamente en mis tierras?

—Ha escapado de la guardia armada que vigilaba Malkin Tower —dijo Hargreaves.

—He soñado que era una liebre y como una liebre he huido.

—¿Y qué haces aquí, Jem? —preguntó Alice.

Jem la miró y no dijo nada. Hargreaves le propinó un puñetazo en el estómago. Jem se dobló, falto de aire.

—Buscaba un lugar donde esconderme.

—¿Y por eso has venido a Rough Lee? —dijo Hargreaves.

—La señora Nutter me protegerá.

—¿Y por qué va a proteger a gente como tú, escoria?

—Alguacil Hargreaves, es muy tarde —terció Alice—. No soy responsable de vuestros guardias, que estando ebrios han dejado escapar a este hombre, ni de su decisión de venir aquí. Tengo graneros y establos donde pensó que podría ocultarse, y doy amparo a los Demdike por caridad. Eso es todo. Ahora marchaos.

—Ha acudido a vos... —dijo Hargreaves—. Podría haber ido a esconderse a cualquier otra parte, pero ha acudido a vos. —Asestó otro puñetazo a Jem.

Este se volvió hacia Alice, cazado como la liebre que había soñado ser.

—Ayudadme —dijo.

—No puedo ayudarte, Jem —repuso Alice.

—Lleváoslo —ordenó el alguacil Hargreaves—. Y esta vez ponedle grilletes.

Los ruidos de los hombres se disolvieron poco a poco en la oscuridad y la última antorcha desapareció en la colina. Alice entró y envió a los criados a la cama. Luego subió al estudio e hizo salir a Christopher Southworth. Él lo había oído todo. Tomó a Alice de los hombros.

—Alice..., me perseguían a mí y lo han encontrado a él. Esto no me gusta. La red se cierra cada vez más y tú no la sientes. Jem Device o cualquier otro miembro de su demente familia te acusarán de brujería cuando se enteren de que no vas a ayudarles. Quieres proteger a los Demdike, pero ellos no te protegerán a ti.

—No te he contado el resto de mi historia.

El Caballero Oscuro

Esa noche escribí una carta a Elizabeth para suplicarle que accediera a verme…

Al día siguiente se presentó un criado y me preguntó si visitaría a su señora esa noche en la casa de Vauxhall. Era mayo, Beltane, y habría luna llena.

Al ponerse el sol, tal como se me había indicado, fui a la casa y despedí a mi criado.

Oí un gran alboroto procedente del salón situado en el centro de la casa. Entré y vi a un numeroso grupo de hombres y mujeres a los que no conocía. Todos llevaban antifaz. Algunos llevaban cola de animal. Nadie anunció mi llegada y tampoco me dieron un antifaz. Me paseé libremente por la estancia buscando a Elizabeth. Había una mesa repleta de comida y bebida. Tocaban dos violinistas.

Un enmascarado me besó. Lo aparté de un empujón.

—Aquí somos espíritus libres —dijo.

De pronto Elizabeth vino hacia mí.

—¡Alice! Esta noche celebramos nuestra gran ceremonia de Beltane y deseaba que formaras parte de nuestro grupo. Eres rica, pero podrías serlo aún más. Tu belleza perdurará. Tu poder aumentará. El Caballero Oscuro ha preguntado por ti.

Sentí un escalofrío como el principio del invierno. Volví la vista hacia el otro extremo de la habitación y reparé en un hombrecillo apuesto que me miraba de hito en hito con unos ojos muy negros. Inclinó brevemente la cabeza mientras lo observaba.

Elizabeth se echó a reír.

—No se trata de un simple hechizo, sino del poder eterno.

Me besó apasionadamente. Me llevó a una pequeña habitación adyacente al salón. Al cabo de unos instantes nos habíamos desnudado y hacíamos el amor como lobas.

Sin embargo, mientras ella me acariciaba noté algo extraño en su mano izquierda. La aparté de mi cuerpo. Le faltaba el dedo anular.

—Me casé con el Caballero Oscuro —dijo—. Los cristianos se entregan un anillo. El Señor Oscuro se lleva un dedo.

Le doblé los dedos. Los besé.

—Tú eres mía —dije.

Negó con la cabeza.

—Fui tuya, pero tú nunca fuiste mía, ¿verdad, Alice? Me entregaste tu cuerpo, pero jamás me entregaste tu alma.

Le toqué la cara. Sus ojos verdes estaban llenos de lágrimas. Y, sin embargo, estaba distinta, cambiada. Era tan hermosa como siempre, pero su dulzura había desaparecido. Brillaba como algo salido del mar, como un tesoro que el mar hubiera cubierto de coral.

Llevaba un sencillo anillo de oro en el meñique. Se lo quitó y me lo puso en el anular de la mano izquierda. Mis manos son más pequeñas que las suyas.

—Acuérdate de mí —dijo.

La miré. Elizabeth era mi recuerdo. No había nadie más a quien recordar.

—Ahora serás una de los nuestros —dijo—. Ven.

Me puso una enagua de seda y me tomó de la mano. Volvimos al salón.

Se había producido un cambio. Había una mesa cubierta con una tela roja encima de una tarima y, sobre la mesa, cuatro velas negras, encendidas, que desprendían un hedor nauseabundo.

—Azufre y brea —susurró Elizabeth—. Ven.

Avancé y en ese momento me percaté de que, mientras que yo llevaba solo una enagua, los enmascarados estaban completamente vestidos. El corazón me latía demasiado deprisa.

Una figura se acercó a mí ofreciéndome una bebida en una copa de plata. La acepté y la vacié de un trago. Todos aplaudieron. Golpeaban el suelo con los pies mientras la música de los violines se volvía más desenfrenada y disonante. Elizabeth me tomó de la mano.

—El Caballero Oscuro te hará suya.

Sin llegar a entender lo que hacía, me quité la enagua. Me quedé desnuda. El Caballero Oscuro avanzó y me aupó con una fuerza sorprendente, de modo que mis piernas le rodearon la cintura mientras copulaba conmigo. La bebida y el deleite que había sentido con Elizabeth me embriagaban y disfruté de él.

Vi que los demás estaban ocupados de la misma manera, medio desnudos y ávidos unos de otros. La música no dejaba de sonar.

Mientras seguía inmersa en mi placer, advertí que Elizabeth se ponía una capa de pieles y se dirigía hacia la puerta de la calle. ¿Por qué se marchaba sin mí?

La multitud se hizo a un lado. Una forma —no me atrevería a llamarla figura— se movía —no podría decir que andaba— entre los cuerpos. La forma llevaba una espada. La forma estaba envuelta en ropajes y encapuchada.

El Caballero Oscuro había terminado conmigo. Me recosté contra el altar. A lo lejos oí la voz de Elizabeth.

—Ella es la Elegida.

La herida

Christopher Southworth guardaba silencio. Tomó las manos de Alice y las besó.

—Te conocí en Salmsbury Hall cuando era un chiquillo. ¿Qué edad tenía? ¿Dieciocho años? Me enamoré de ti. Me hice sacerdote. Seguí enamorado de ti. Seas lo que seas, siempre te amaré.

Alice le acarició el pecho. Él se quitó la camisa por la cabeza. Tenía el torso estampado de cicatrices causadas por el hierro de marcar y los alambres candentes. Alice le acarició las cicatrices. No se arredró.

Él le beso la frente.

—Siempre te amaré, pero no puedo ser tu amante.

—Dios te perdonará.

—No tiene nada que perdonarme.

Christopher se desabrochó los calzones, tomó la mano de Alice y se la llevó a la entrepierna.

Habían llevado al jesuita Christopher Southworth a una celda desprovista de ventanas. En la celda había un potro de tortura, un torno, un horno, hierros de marcar, un cazo para derretir cera y clavos de diversas longitudes. Unas empulgueras, un par de tenazas largas, pinzas gruesas, instrumental quirúrgico, un conjunto de bandejitas metálicas, cuerdas, alambres, preparados de cal viva, una capucha y una venda para los ojos.

No lo sometieron al potro, sino que utilizaron el potro a modo de banco. Le ataron los brazos por encima de la cabeza y le separaron las piernas. Le practicaron un corte limpio en el costado y le extrajeron un cuarto de galón de sangre para debilitarlo. Luego le obligaron a beber una pinta de agua salada.

No le rompieron los dedos articulación por articulación ni le arrancaron los dientes uno a uno. Se lo tomaron con calma. Le dibujaron formas en el pecho con sus delicados cuchillos y limpiaron cuidadosamente la sangre. Le sujetaron los párpados abiertos con horquillas metálicas y le vertieron cera caliente en los globos oculares. Cuando él gritó, discutieron si le arrancaban la lengua. Pero la necesitaban para que confesara.

No confesó. No dio ningún nombre. El único nombre que oyeron fue el de Jesús.

Estaba desnudo. Le acariciaron el pene y los testículos. Para vergüenza suya, el pene se endureció. No sentía nada, pero se le endureció. Los hombres se excitaron al verlo. Lo tumbaron boca abajo y lo sodomizaron. Luego le dieron la vuelta y encendieron un fuego en una lata. Mientras uno le sujetaba el pene, el otro se lo cortó. A continuación le cortaron los testículos. Se desmayó; le arrojaron agua para que volviera en sí. Quemaron los testículos en la lata. Christopher no veía nada, pero sí percibía su propio olor. El hedor que desprendía. Quemado vivo. Le dejaron en paz.

—Dentro de quince días zarpará un barco de Dover —dijo él—. Quiero que estés a bordo. Conmigo.

—¿Y qué será de mi casa? ¿De mis tierras?

—¿Y qué será de tu vida?

—Mi vida no corre peligro. La tuya sí.

—Ya no temo por mi vida. Morí cuando me torturaron... o eso parece.

Ella lo desnudó. Le besó. Con suavidad él le separó las piernas con las manos y se deslizó por la cama para que su lengua llegara hasta ella.

Se quedaron dormidos.

Vida por vida

El alguacil Hargreaves quitó los grilletes a James Device y lo llevó al Dog.

Allí estaba Tom Peeper, en la habitación oscura donde ardía un fuego bajo. Tenía sentada en las rodillas a una niña desnuda y medio dormida. La pequeña se puso el vestido por la cabeza y huyó sin dirigir ni una palabra a su hermano. Tom Peeper se levantó y se abrochó los calzones.

—¿Cómo ha salido la niña de la torre? —preguntó Hargreaves.

—Yo los encierro. Yo los dejo salir —dijo Peeper—. Aunque no a este sapo ladino, me parece a mí. —Dio una patada a Jem—. El diablo te habrá dejado salir.

Jem miró la comida y la bebida como un animal. Tendió la mano abierta.

—Has tenido a mi hermana. Dame cerveza y pan.

Intentó coger el mendrugo, pero Tom Peeper lo apartó de un bofetón.

—No eres tú quien comercia con ella, Jem. Ya no. Ahora es propiedad de la ley. ¿No es cierto, Harry?

Harry Hargreaves no respondió. No sentía deseo por las niñas que Tom usaba, pero tampoco le prohibía utilizarlas. Tom Peeper resultaba útil. Era un espía y un sádico. Eso facilitaba el trabajo de Hargreaves.

—Te daremos comida, Jem —dijo Hargreaves—. Come.

Jem vaciló, aunque solo un segundo. Se sentó en el banco, apoyó los codos en la mesa y se metió la comida en la boca con las dos manos. Bebía con la boca llena, derramando la cerveza y atragantándose, y recogía el revoltijo pegajoso que se le escurría entre los labios. Comía sin pensar en nada salvo la comida, como come un hombre que a menudo pasa hambre. Peter lanzó una mirada a Hargreaves. Llevaban mucho tiempo trabajando juntos. Se entendían a la perfección.

—Hay una mazmorra para ti en Lancaster, Jem. A su lado, Malkin Tower parece un palacio real. Tu abuela no ha escapado y tú tampoco escaparás, ni en forma de liebre, ni de pájaro, ni escoltado por un batallón de Caballeros Oscuros. Saldrás de allí en carro y arderás en la hoguera.

Jem no dejaba de comer, sin levantar la mirada, pero escuchaba.

—Podrías salvarte. Testifica contra tu familia y ellas arderán y tú quedarás libre. Te mandaremos lejos discretamente. Roger Nowell te conseguirá una colocación en Yorkshire. Tendrás comida que llevarte a la boca y ropa con que vestirte, un granero donde dormir y lumbre en invierno. Podrás casarte. ¿Qué dices, Jem? Una esposa que te dé calor. Algo mejor que esa madre bizca o una oveja mugrienta para que te calme la polla. Lo único que has de hacer es confesar a Roger Nowell que la reunión de Malkin Tower era un aquelarre. Una conspiración blasfema en Viernes Santo. Nos olvidaremos del cordero robado y de cualquier otra cosa en tu contra.

Jem comía y pensaba. Comer era fácil; pensar, difícil. Solo le pedían que dijera la verdad. Vio en su cabeza la imagen del jergón en el granero y el pollo en la olla, a su amada trabajando los campos y regresando a casa al caer la noche, a sí mismo junto a ella, lejos para siempre de todo eso.

—Y testificarás contra Alice Nutter.

Jem dejó de comer y de soñar. Su rostro era el vivo retrato del miedo. Negó con la cabeza.

—No puedo declarar contra ella.

Tom Peeper acercó mucho la cara a él.

—¿Y por qué no puedes declarar contra ella? ¿Qué poder tiene sobre ti?

Jem volvió a negar con la cabeza.

—Los demonios me descuartizarán.

Tom Peeper cogió la humeante y goteante vela y echó la cabeza de Jem hacia atrás.

—Yo puedo descuartizarte más rápido hoy que cualquier diablo mañana. Y si me muestro demasiado blando y tonto, el torturador de Lancaster subsanará mi descuido. —Arrojó la cera caliente en el rostro de Jem.

Jem se apartó de un brinco y se refugió lloriqueando en un rincón de la habitación. Había una araña enorme en el suelo. La araña dijo:

—Jem Device, yo te protegeré. Haz lo que te piden y te volveré más poderoso que ella.

—¿Eres un diablo? —preguntó Jem.

—Soy tu amiga, James Device. Méteme en tu bolsillo y escúchame con atención.

—¡Levántate del suelo, pedazo de cuerda podrida! —gritó Peeper.

Jem se metió la araña en el bolsillo y se puso en pie.

—Testificaré contra todos.

El alguacil Hargreaves volvió a llenar las jarras.

—¿Y qué me dices de la señora Nutter?

Jem cogió la cerveza y se la bebió de un trago.

—Le diré al magistrado Nowell que prometió guiarnos y hacer saltar por los aires la prisión de Lancaster y liberar a la Vieja Demdike.

Se echó a reír… muy fuerte, histérico. Los otros dos se rieron con él. Ya no estaba solo y excluido. Ya no pasaría frío ni hambre ni miedo. En adelante estaría a salvo.

El agujero infernal

La Mazmorra del Foso del castillo de Lancashire mide veinte por doce pies. Está excavada a treinta pies bajo tierra. Carece de ventanas y luz natural, con excepción de una reja encajada a nivel del suelo, pero el nivel del suelo se halla a treinta pies de altura. Podría perfectamente estar en la luna. Y la luna se cuela por la noche, alta y pálida, una luz fría, pero, con luna llena, una luz al menos.

Y mejor que la antorcha de sebo que gotea la grasa de cerdo sobre la paja mugrienta y alumbra… ¿qué alumbra? Miseria, consunción, podredumbre, sufrimiento y ratas.

Las prisioneras no están encadenadas. Deambulan por el cubículo. Chattox se pasea como una gata de exposición, de arriba abajo, de abajo arriba, mascullando quién sabe qué. Su hija, la hermosa Nance Redfern, sentada en un rincón, odia a Alizon Device, su rival por la comida y por unas breves horas fuera de este infierno. El carcelero saca casi todos los días a la una o a la otra para tener trato carnal. También las lava, o al menos la parte que le interesa. De ahí que las dos jóvenes tengan menos llagas que el resto.

El lugar apesta. El albañal es un canal cavado en el suelo debajo de la paja. Los orines se van, las heces se amontonan en un rincón. La Vieja Demdike se agacha sobre el montón cada vez más alto y normalmente pierde el equilibrio, resbala y cae encima. Tiene el vestido manchado de excrementos y llagas supurantes entre las piernas. Cuando el carcelero va en busca de alguna de las mujeres, Demdike se levanta el vestido y, mirándolo con lascivia, le ofrece sus llagas. Él la golpea. La Vieja Demdike ha perdido dos dientes de este modo.

Les dan pan rancio y agua salobre dos veces al día. Cuando les arrojan el pan por la puerta, las ratas se abalanzan sobre él chillando y hay que ahuyentarlas a patadas. Hay cuatro o cinco ratas. Había más. A las otras se las han comido.

Fría. La mazmorra es fría y las mujeres solo tienen un par de gualdrapas que deben compartir. Cuando llueve, el agua entra por la reja y empapa la paja del suelo. Jane Southworth se coloca bajo la cascada de lluvia e intenta lavarse la cara y las manos, intenta lavarse entre las piernas, y las demás se ríen de ella, pero la lluvia es cordura líquida para Jane. Viene de fuera y ella trata de imaginar que una parte del exterior entra en este interior infernal y lo vuelve soportable.

La paja mojada intensifica el olor a podrido.

Las paredes están cubiertas de musgo y de un extraño hongo negro. Demdike conoce bien las setas venenosas y arranca lo que puede. Las pesadas manillas de hierro que cuelgan de las paredes están oxidadas. Cuando le da un ataque, Demdike las sacude con todas sus fuerzas y llama a su familiar para que vaya a rescatarla. El gato negro no acude, y tampoco el caballero menudo vestido de negro al que ella conocía, ni el pájaro que le decía dónde guardaban el grano. Nada humano ni no humano entra en este lugar. El carcelero jamás lo pisa y, cuando quieren interrogar a las mujeres, las llaman por su nombre para que salgan. Toda suerte de enfermedades mora entre estos muros.

Es abril. Las mujeres permanecerán aquí hasta las audiencias de agosto.

Chattox y Demdike se odian. Sus hijas, Nance y Alizon, se odian. No se ha sellado ninguna alianza. Nadie compadece a nadie. Jane Southworth se mantiene apartada. Recita la Biblia y eso enfurece a las demás.

«Él acudirá —dice la Vieja Demdike—, una noche, sobre la estela de la luna, él vendrá y me libraré de todas vosotras.»

Al principio las familias rivales hacen hechizos e invocaciones. Al principio el fuego y la sangre se empleaban para atraer al Caballero Oscuro. Ahora hay maldiciones pero no esperanza. Desgracia pero no invención. Alizon se pregunta qué habrá sido del poder de la Vieja Demdike. Demdike jura que él acudirá, aunque ya no lo cree.

El día y la noche son lo mismo. Sueño irregular, frío y doloroso, sufrimiento, sed, cansancio incluso cuando duermen.

Bajo los pies, los piojos se mueven entre la paja.

El aire está estancado. Cuesta respirar porque es muy denso. Demasiado dióxido de carbono. No hay suficiente oxígeno. Cada aliento las mantiene vivas y las mata un poco más. Una mujer tiene fiebre.

La puerta se abre. El carcelero aparece con una antorcha goteante.

—¡Nance! —grita, e introduce la antorcha en el soporte.

Les deja la luz mientras posee a la mujer; es su forma de señalar algo… ¿qué?

La antorcha proyecta sombras grotescas sobre las piedras negras de la celda. No, no son las sombras las que son grotescas, sino las mujeres: encogidas, encorvadas, apiñadas, lisiadas, demacradas, atormentadas y temblorosas.

Alizon usa las manos para representar una obra de teatro. He aquí un conejo. He aquí un pájaro. La Vieja Demdike, con su sucio vestido, se balancea adelante y atrás.

Llueve un poco y Jane Southworth ocupa su lugar bajo la reja y abre la boca hacia el agua. Deja que la lluvia que le baña el rostro sea sus lágrimas. Las mujeres ya no lloran.

Piensa en el Infierno y en si será así. Cree que los castigos del Demonio están hechos de imaginaciones humanas. Solo los humanos saben lo que significa despojar a un ser humano de su humanidad. Cree que el Demonio tiene cierta pureza que los humanos nunca poseen. Cree que el fervor divino es ridículo porque existe para ocultar esto: esta celda apestosa, aciaga y sofocante. La vida es una celda apestosa, aciaga y sofocante. ¿Por qué fingimos? Huele a fresas. Sabe que se está volviendo loca. Que venga la lluvia.

Una rata le pasa por encima del pie y bebe de la hendidura de su zapato.

Hoghton Tower

Alice Nutter y Roger Nowell cabalgaban delante del grupo. Alice no dijo nada acerca del alguacil Hargreaves, Jem Device y los acontecimientos de la noche anterior. Cuando Roger Nowell le preguntó si había dormido bien, respondió que sí. Confiaba en que él hubiera encontrado al fugitivo. No, Nowell no había dado con él.

Potts viajaba con ellos. Era un mal jinete y prefería ir en carruaje, pero en Lancashire las calzadas no eran tan necesarias como en Londres, de modo que tenía que conformarse con dar botes por roderas y caminos de herradura en un carro descubierto tirado por el rocín de un granjero. Estaba de muy mal humor tras haber pasado la noche en vela sin atisbar ni una sola escoba sobre Pendle Hill. Había sentido curiosidad por conocer a Alice Nutter, pero la mujer le ponía nervioso. Su manera de mirarlo hacía que se sintiera menos importante de lo que se sabía.

Le alegraba viajar tras el grupo a caballo.

A Roger Nowell también le alegraba que fuera a la zaga. Alice y él estaban sumidos en sus cavilaciones y apenas hablaban.

Alice se había despertado mucho antes del amanecer. Christopher dormía a su lado, con el sueño profundo de un hombre que lleva largo tiempo sin apenas pegar ojo; dormía despreocupado, boca arriba, con un brazo extendido, como un niño que se siente a salvo.

Lo había obligado a levantarse y conducido abajo por el pasadizo secreto que comunicaba el dormitorio con el estudio. Lo había encerrado dentro. Lo había dejado allí. No sabía si volvería a verlo. Él quería marcharse a Lancaster. Ella sabía que le amaba.

—Hoghton Tower —dijo Roger Nowell, deteniendo el caballo e interrumpiendo las cavilaciones de Alice—. Una casa espléndida.

Se hallaban al pie del camino, de una milla de longitud, que conducía a la casa. Los Hoghton habían llegado a Inglaterra con Guillermo el Conquistador, pero la casa, de cincuenta años de antigüedad, la había construido Thomas Hoghton, que apenas había disfrutado de ella. Se negó a renunciar a la fe católica y tuvo que huir a Francia.

—Ofreció amparo a Edmund Campion —dijo Roger Nowell—. ¿Os acordáis de él?

Alice se acordaba.

—Lo quemaron vivo por su fe.

—Thomas Hoghton tuvo la suerte de escapar. Utilizó su dinero para fundar el seminario jesuita de Douai, en Francia —explicó Roger Nowell—. Christopher Southworth se formó allí como sacerdote.

Alice lo miró de reojo, pero Nowell mantenía la vista al frente, admirando la casa.

—Richard, el hijo de Hoghton, carece de vocación religiosa, pero tiene un gran olfato para la política. Por lo tanto, ha conservado la casa y el buen rey escocés Jacobo le concedió el título de caballero el año pasado.

—¿No tenéis en buena estima a nuestro rey Jacobo? —preguntó Alice.

—Es un entrometido y, cuando el rey es un entrometido, los demás también debemos serlo. ¿Creéis acaso que disfruto enviando al patíbulo a ancianas y a su demente progenie?

—En ese caso no me pidáis que os ayude.

—En ese caso no me pidáis a mí que os ayude a vos, señora.

Nowell frenó un poco el caballo para que Alice se adelantara. No pudo por menos de fijarse en su figura, su porte, su cabello, la excelencia de su belleza. Hasta entonces jamás le había interesado esa mujer. Se controló. No era el momento.

Alice Nutter se vestía en su habitación. Se esmeraba para tener un aspecto magnífico. Su doncella le abrochó el vestido púrpura y le colgó esmeraldas en el cuello y las orejas. Cuando se marchó, Alice sacó del bolso un frasquito y se echó unas cuantas gotas en la cara. No quedaba mucho en el frasco tapado. John Dee lo había preparado y se lo había dado a Alice. No era el elixir de la vida, sino el elixir de la juventud.

Alice bajó y encontró a Potts hablando con un hombre menudo, calvo y afable.

—Como caballero londinense, estas diversiones del campo me resultan muy tediosas —dijo Potts.

—En ese caso, ¿por qué venís? —preguntó el hombre de rostro sagaz.

—Soy un invitado del magistrado Nowell. Estoy en Lancashire sirviendo a los intereses de la Corona. Sí, la Corona —dijo Potts, hinchándose como un gallo—. Quizá debiera guardar silencio, pero no daríais crédito a la brujería y el papismo, el papismo y la brujería que he descubierto.

—Debéis de estar exhausto —comentó Alice al unirse a los dos hombres—. Parecéis exhausto.

El caballero afable le sonrió. Potts le lanzó una mirada asesina. Sonó una campana. Un criado anunció el comienzo de la representación.

—Shakespeare —dijo Potts—. Una urraca advenediza. Melodramático y mediocre. *Macbeth*..., una obra ridícula. Y, a mi juicio, muy sospechosa.

—¿Sospechosa?

—Esas inmundas arpías, brujas, vejestorios, que profetizan a Macbeth... ¿no tienen «el pulgar de un piloto» para arrojarlo en su caldero infernal?

—Así es...

—¡Ajá! Es el pulgar de Edmund Campion, un jesuita quemado en la hoguera por traición, al que se dio refugio en esta misma casa, ah, sí, mientras Shakespeare era tutor aquí.

—¿Y eso significa...? —dijo el caballero afable, que intentaba seguir el hilo.

—Brujería y papismo, papismo y brujería... es todo lo mismo.

El caballero afable se encogió de hombros y ofreció el brazo a Alice.

—¿Me permitís que os acompañe a la representación?

Alice asintió en el mismo instante en que Roger Nowell entraba en su busca. Apenas miró a Potts. Saludó al compañero de Alice con una inclinación de la cabeza.

—William Shakespeare.

De repente Potts había desaparecido.

Cuando tomaron asiento para ver la obra, Alice y Shakespeare conversaron. Él le dijo que la había conocido años atrás, cuando era nuevo en Londres, recién llegado de Stratford, y ella vivía en la casa de Bankside, junto al Swan Theatre. Alice le había dado la bienvenida como una mujer del norte. A Shakespeare le gustaban las norteñas por su franqueza y amabilidad: había conocido a muchas cuando en su juventud estuvo en Hoghton Tower.

—En aquel entonces todos éramos católicos —añadió—, aun cuando no lo fuéramos.

—Ah, éramos jóvenes en aquel entonces —dijo Alice.

Shakespeare la miró sin disimular su curiosidad.

—Aun cuando no lo fuéramos.

Alice se sonrojó. Shakespeare era como una lechuza: ojos brillantes, cabeza posada sobre la gorguera. Sus ojos parecían más penetrantes que su mirada y Alice tuvo la impresión de que lo sabía todo y no hacía falta que ella dijera nada.

Se había convertido en un hombre rico, vivía en Stratford, ya no escribía teatro. Había viajado a Hoghton Tower para ver *La tempestad* porque tenía apego al lugar y también a la obra. Su compañía seguía siendo la King's Men, y *La tempestad* había sido la elegida para la boda de la hija del rey Jacobo, que se celebraría al año siguiente.

—He capeado todas las tempestades —dijo Shakespeare—, incluso las que he escrito yo. Ah, atención, ya empieza...

Se oye un fragor de tormenta, con rayos y truenos. Entran un capitán y un contramaestre.

CAPITÁN: ¡Contramaestre!

CONTRAMAESTRE: Aquí estoy, capitán. ¿Qué ocurre?

Alice seguía la función y a veces se distraía. Recordaba cuando Shakespeare estuvo en su casa, aunque en aquel entonces llevaba el pelo largo, un pendiente y una hermosa barba. Esta vez no le había reconocido.

Mientras se representaba la obra, le pareció que volvía a oír la voz de Elizabeth... y de pronto estaban juntas en la casa de Bankside, arriba, en sus habitaciones privadas y secretas, desde las que se veía el río Támesis y todo Londres, la magnífica ciudad.

—¿Has vendido tu alma, Lizzy?

—El Caballero Oscuro se llevará un alma. No tiene por qué ser la mía.

—Dudo que otra vaya al Infierno para pagar por tu placer.

—No crees en el Infierno ni en las almas, ¿verdad, Alice?

—Creo que has cambiado.

Alice levantó la mirada, despertada abruptamente de su ensoñación por la ensoñación aún más intensa de la obra.

ARIEL: Yace tu padre en el fondo
y sus huesos son coral.
ahora perlas son sus ojos;

nada en él se deshará,
pues el mar todo lo torna
en un bien maravilloso.

Alice se desmayó.

Cuando recobró el sentido, estaba en una pequeña estancia alejada del salón principal. Oyó que la obra proseguía. Su criado estaba a su lado. William Shakespeare tomó el agua de manos del sirviente y se la dio a Alice. Dijo que se sentía halagado de que su pequeña obra hubiera tenido semejante efecto en ella.

Alice dijo que se había perdido en el tiempo. El tiempo, dijo él, sí, sí, el tiempo era la clase de lugar donde cualquiera podía perderse.

Entonces Alice le dijo, y no supo por qué lo decía:

—¿Creéis en la magia?

—¿Por qué me lo preguntáis a mí, un actor y viejo escritor, cuando trabajasteis con John Dee y Edward Kelley?

—¿Los conocisteis?

—He conocido a cuantos merecía la pena conocer. Decidme: ¿creéis que una estatua de piedra puede cobrar vida? He utilizado ese recurso en una obra que todavía estoy revisando, titulada *Cuento de invierno.* El final no funcionará a menos que creamos, siquiera por un instante, que una estatua podría quizá bajar del pedestal y abrazarnos. Y devolvernos lo que hemos perdido.

—John Dee creó un escarabajo metálico que volaba como un ser vivo. Le arrestaron por considerarlo obra de brujería.

—Hoy en día se arresta a la gente por cualquier cosa. Pero

no creo que pueda terminar la obra con un escarabajo metálico..., por más que sea verídico.

—No me habéis respondido —señaló Alice.

Shakespeare meneó la cabeza y hundió la barbilla en la gorguera, con lo que se asemejó más que nunca a una lechuza.

—He escrito sobre otros mundos bastante a menudo. He dicho cuanto puedo decir. Hay muchas clases de realidad. Esta no es más que una. —Tendió las manos para indicar las paredes y alfombras, los tapices y cacharros que lo rodeaban—. Pero, señora, que no os vean alejaros demasiado de la realidad que es clara a ojos de los demás, o quizá os acusen de la realidad que es clara a los vuestros.

Se abrió la puerta y entró Roger Nowell con parte del grupo. Todos cantaban las alabanzas de Shakespeare, salvo Potts, que se quedó malhumorado en un rincón.

—Supongo que sabéis que ese dramaturgo, como él mismo se denomina —le dijo a Nowell—, ese tal Shakespeare, conocía bien a Catesby, el cabecilla de los que organizaron la Conspiración de la Pólvora.

Roger Nowell asintió, irritado.

—Había en Inglaterra dos hervideros de católicos —prosiguió Potts—. Uno en Stratford-upon-Avon. Otro en Lancashire. Todos los participantes en la Conspiración de la Pólvora se reunían para urdir sus planes en el Mermaid Inn de Stratford. ¡En Stratford, señor! ¡Shakespeare, señor! Cuando la conspiración fracasó y hubieron de huir en desbandada, escaparon todos ellos a Lancashire y se escondieron aquí, en Hoghton Tower, o con los Southworth en Salmesbury Hall.

—Lo sé —dijo Roger Nowell.

—Me asombra lo que sabéis y sin embargo os negáis a saber. Os movéis demasiado cerca del precipicio, señor; demasiado cerca.

Alice, que estaba un poco apartada de ellos, se levantó para salir de la sala. Potts la miró.

—Esa dama es un misterio, señor, un misterio. Si fuera mi misterio, indagaría más en él.

—No estoy tan ocioso como imagináis —repuso Roger Nowell.

Alice subió a sus aposentos para cambiarse de ropa. Todavía no reinaba la oscuridad, pero tampoco había luz: el Portal del Crepúsculo. Y si pudieras cruzarlo… ¿hacia qué?, ¿hacia dónde?

Se acostó en la gran cama, con una sola vela encendida y la lumbre en la chimenea. Corrió las cortinas del dosel y cerró los ojos. Cuando empezaba a quedarse dormida oyó que algo o alguien se movía por la habitación.

Desde la cabina en que se había convertido su cama, lo que oía sonaba como agua.

No lluvia, ni un río. La extraña combinación de un ser hecho de agua. Algo caminaba por su habitación. No era tanto sólido… como líquido.

Luego oyó el siseo y el chisporroteo de la madera en la chimenea al apagarse el fuego.

La boca seca. Se obligó a moverse, bajó del lecho y abrió las cortinas del dosel.

La habitación había desaparecido.

Alice estaba en Pendle Hill. Negro páramo, desolado brezal, floresta dispersa, lentos arroyos, un pequeño lago, una poza cubierta de verdín, sustanciosa desolación, ciénaga y bosque. Lluvia torrencial.

Junto a un grupo de piedras verticales vio a Elizabeth Southern, con el cabello suelto, desnuda, sonriéndole. Elizabeth, ajena al mal tiempo, se apartó el pelo de los ojos como solía hacer, al parecer sin mojarse ni sentir el frío. Tendió la mano hacia Alice. Alice se acercó a ella bajo la lluvia y el viento. Si ese era el final, que lo fuera, el final llegaría antes o después, hoy, mañana o al día siguiente.

Alice tocó el cuerpo desnudo de Elizabeth, pero, cuando su mano acariciaba la piel que tanto había amado, la piel cedió, como papel empapado, y la mano la traspasó o, mejor dicho, se introdujo en ella. Fue como si la metiera en agua negra.

Alice se apartó, con la mano y el brazo oscuros, cubiertos de la negra sustancia viscosa que era Elizabeth.

Elizabeth se reía, y mientras se reía su piel blanca empezó a tachonarse de erupciones oscuras. Su piel, hasta entonces firme y blanca, se hinchó y se tornó pulposa. Las erupciones estallaban como furúnculos. El cabello se le volvió gris, se le desprendió de la cabeza y cayó como agua sucia. La piel que cubría los huesos colgaba en pliegues inútiles. No tenía dientes. Se reía de Alice, y su boca era como una brecha. Supuraba, se licuaba.

—Como soy yo serás tú.

Alice se cubrió el rostro con las manos. Estaba en medio del vendaval ululante y la implacable lluvia, intentando mantenerse en pie. No deseaba mirar a Elizabeth.

—¿Qué quieres de mí? —gritó al viento y la lluvia. No hubo respuesta. Por siempre, al parecer, bajo la lluvia y el viento, y no hubo respuesta.

Alice lloraba. Se hizo un silencio. Un silencio sepulcral y malsano.

Cuando levantó la vista, estaba en su habitación. La lumbre ardía débilmente. Todo seguía como antes.

Estaba empapada.

Esa noche, durante la cena, Potts deleitó a los invitados con su «descubrimiento» de un nido de brujas de Lancashire que por fin estaban a buen recaudo en Malkin Tower. Alice perdió la paciencia.

—No hubo ningún sabbat… Pasasteis toda la noche en Pendle Hill ¿y qué hallasteis? ¡Nada! Y tampoco en Malkin Tower, salvo un puñado de vidas desesperadas, miserables y malogradas.

—Os acaloráis en vuestra defensa —dijo Potts—, a pesar de que tienen su guarida en vuestras tierras y gozan de vuestra protección…

Shakespeare le interrumpió.

—¿Qué es una misa negra? Los ciriales herrumbrosos y los altares improvisados que encontráis en lugares remotos, agrestes y alejados de los hombres son restos de la misa católica, que a veces se celebra en secreto, si es que llega a celebrarse.

—¿No creéis, pues, en la brujería? —le preguntó Roger Nowell.

—No he dicho eso. Lo que digo es que a los tiempos que vivimos les conviene denigrar el *hoc est corpus* de la misa católica y convertirlo en un conjuro satánico.

—Es lo mismo —replicó Potts.

—No es lo mismo —replicó Shakespeare.

—Me sorprende vuestro punto de vista, señor —dijo Potts—, y que vos y vuestra compañía de actores ambulantes recibáis la generosidad del rey.

—Somos los King's Men, los hombres del rey —afirmó Shakespeare—. Además… empecé esta obra, *La tempestad*, con un naufragio para mostrar mi solidaridad por el naufragio que sufrió el rey por obra de fuerzas sobrenaturales cuando regresaba de Dinamarca a Berwick.

—Ah, los procesos por brujería de Berwick —dijo Potts—. Hasta la fecha no ha habido nada más espectacular. Los procesos por brujería de Lancashire serán los primeros de los que quedará constancia escrita. Un gran avance en la persecución de la demonolatría.

—¿Os encargaréis vos de levantar acta? —preguntó Shakespeare.

—Sí, en ejercicio de mis facultades legales. También he escrito obras de teatro, no sé si lo sabíais.

—No, no lo sabía —respondió Shakespeare—. Ni yo ni nadie.

Los comensales estallaron en carcajadas. Potts enrojeció, visiblemente enojado. Alice disfrutaba viendo su incomodidad.

—Me sorprende que os atreváis a salir por Lancashire sin temor a toparos con una bruja o un sacerdote —dijo Alice.

—¿Qué queréis decir? —preguntó Roger Nowell, que no miraba a Potts, sino a Alice.

—Sea lo que sea —intervino Shakespeare—, este hombre es tonto.

Eso bastó para que Potts se levantara de la mesa. Roger Nowell se rió con los demás, aunque también él se sentía incómodo. Potts no había encontrado a ninguna bruja voladora. Buscaba un sacerdote escondido.

Era tarde y Alice se preparaba para acostarse cuando oyó que llamaban con suavidad a la puerta. Abrió y vio a Shakespeare en camisón y zapatillas. Él se llevó el dedo a los labios. Alice le dejó pasar.

—Un consejo de parte de un hombre que ha visto mucho. Si no deseáis acabar en la Mazmorra del Foso del castillo de Lancaster, marchaos cuanto antes de Inglaterra. Christopher Southworth debe irse con vos.

—¿Por qué le mencionáis?

—Haced caso de lo que se os dice. Cuidad lo que decís.

Shakespeare abrió la puerta.

—A menudo —añadió—, para causarnos daño, los agentes de las tinieblas nos profetizan verdades, nos seducen con naderías inocentes para arrastrarnos a las consecuencias más terribles.

Alice no durmió bien. Cuando a las nueve, la hora acordada, estaba ya preparada para partir, un criado de la casa le dijo que la niebla era demasiado espesa y que ella y sus compañeros debían esperar hasta el mediodía. Roger Nowell había desaparecido. Potts dormitaba en la biblioteca.

Aguardó inquieta, hasta que por fin llamó a su doncella y fue a pedir ella misma que prepararan sus caballos. Eran las once. El mozo de cuadra que ensilló la yegua cobriza le dijo que Roger Nowell se había marchado, solo, a las seis de la mañana.

La habían engañado.

Diente por diente

Roger Nowell y el alguacil Hargreaves estaban en el cementerio de Newchurch, de Pendle, envueltos en la espesa niebla. Miraban al suelo en silencio. El césped estaba levantado y la tierra de la superficie, removida. El cuerpo sepultado quedaba parcialmente a la vista; los huesos asomaban en la tierra. A un lado de la tumba había un cráneo, seco y blanqueado. Alguien le había machacado la mandíbula para arrancarle los dientes. Había esquirlas de hueso esparcidas. Los dientes estaban cuidadosamente agrupados en un montón.

En otra tumba, la tierra había sido excavada. El cuerpo que contenía no había terminado de pudrirse y la carne descompuesta quedaba a la vista, con su activa colonia de gusanos. El cadáver estaba mutilado. La cabeza había desaparecido y solo quedaba el negro muñón del cuello.

—Fue anoche —dijo Hargreaves—. Se llevaron la cabeza y dejaron los dientes. Debieron de sorprenderlos cuando trabajaban.

—¿No están encerrados los Demdike y Chattox?

—Todos menos James Device, que está dispuesto a testificar contra los suyos. Está en el Dog, borracho como una cuba.

—En ese caso no podemos culparlo. Y, por mucho que os complacería a vos y los demás, tampoco podemos culpar a Alice Nutter. Estaba conmigo.

—Su espíritu puede viajar. El espíritu de una bruja puede viajar donde desee —señaló Hargreaves.

Roger Nowell no dijo nada.

—¿Habéis registrado Rough Lee?

—Sí. Tengo ahora un criado a mi servicio. No hemos hallado a Christopher Southworth ni el menor rastro de él. Pero hemos encontrado esto.

Hargreaves sacó un crucifijo de plata que colgaba de una cadena.

—En la alcoba… en la cama.

Roger Nowell lo examinó con detenimiento.

—¿Lo utiliza porque en secreto es católica o porque en secreto es una bruja? ¿Lo besa o blasfema sobre él? —Se guardó el crucifijo en el bolsillo—. Es una prueba valiosa.

—James Device dice que testificará contra Alice Nutter.

Roger Nowell meneó la cabeza.

—Su palabra de borracho carece de valor contra una mujer como Alice Nutter. Y tenemos mucho que hacer, Hargreaves. Quiero que esta noche me traigan a los desgraciados de Malkin Tower para que presten declaración. Potts estará presente, no me cabe ninguna duda. Y encargaos de que adecenten estas tumbas.

—Sí, señor. ¿Y Alice Nutter?

—He dicho que todavía no.

Hargreaves no quedó complacido, pero no podía discutir.

Los hombres se alejaron despacio del cementerio. Jennet Device, que los había observado desde los arbustos, corrió hacia las tumbas abiertas, cogió los dientes y huyó hacia Malkin Tower.

Ojo por ojo

La manera más rápida de quitarle la vida a un hombre mediante la brujería es crear una Imagen de Barro, a semejanza de la forma de la persona que se quiere matar, y secarla bien; cuando se desea que la persona enferme en una parte del cuerpo más que en otra, se clava una espina o un alfiler en esa parte de la Imagen que se desea que enferme; cuando se desea que una parte del cuerpo se consuma, hay que arrancar esa parte de la Imagen y quemarla. Y cuando se desea que el cuerpo entero se consuma, se coge lo que queda de la Imagen y se quema; y de este modo el Cuerpo morirá. Lo mismo puede conseguirse con una Muñeca o un Monigote.

Elizabeth Device estaba en la bodega de Malkin Tower. Vigilaba un caldero que estaba a punto de hervir sobre un sucio fuego. Un altar rudimentario, un par de velas de azufre y un esqueleto todavía encadenado al lugar donde lo había abandonado el cuerpo de su dueño completaban el mobiliario.

Mouldheels estaba a su lado, cosiéndole las piernas a una muñeca sin cabeza.

Se oyó un grito fuera. Elizabeth Device cruzó la bodega y apartó una gran piedra que cubría un pequeño agujero. Rauda como un hurón, Jennet Device lo atravesó a gatas con una bolsita de tela en la boca.

Su madre vació la bolsa de dientes en el altar. Dio a Jennet un mendrugo de pan. Mientras su hija comía, Elizabeth retiró el trapo que envolvía la cabeza cortada del cementerio. Luego sacó la lengua de Robert Preston.

—¡Mouldheels! Cose la lengua a esta cabeza. Los dientes van a la olla. Lo he usado todo. Todas las artes atesoradas por Demdike deben emplearse para este conjuro.

—¿Qué haces? —le preguntó la niña.

—¿Que qué hago? Yo te diré lo que hago. El muñeco que Mouldheels está acabando de coser servirá para lastimar a Roger Nowell hasta que suplique clemencia a gritos. No tenemos barro, pero sí trapos suficientes para confeccionar un muñeco como te enseñó tu abuela, ¿te acuerdas? Con los alfileres y las espinas.

La niña asintió.

—Y haremos hablar a esta cabeza cortada. Un espíritu hablará a través de ella y nos guiará.

Mouldheels tenía la macabra cabeza medio podrida sobre las rodillas.

—¡Jennet! Mantenle la boca abierta mientras yo coso.

La niña se acercó y abrió la boca, flácida y azul, de la cabeza del cadáver.

—Hay un gusano dentro, tía.

Mouldheels miró.

—Hay gusanos por todas partes, pequeña. Vivimos lo mejor que podemos en un mundo de gusanos, pero espera a que hable esta buena cabeza.

Elizabeth había regresado junto al caldero.

—Jem no ha vuelto. ¿Lo has visto, Jennet?

La niña apartó la mirada.

—Se asustó en el cementerio. Se dejó los dientes.

—¿Adónde fue, Jennet?

La niña se encogió de hombros y se concentró en las húmedas cuencas vacías de la cabeza. Mouldheels cosía la lengua a lo que quedaba del paladar con grandes puntadas que atravesaban lo que quedaba de la nariz.

—No hay mucho donde anclar el hilo —dijo—. Menos mal que tenemos una lengua fresca. La lengua es lo primero que se pudre. Y los ojos, claro.

—¿Para qué es el caldero, mamá?

—Para nada que pueda comerse, así que olvídalo. Cuando la cabeza esté a punto, la herviremos en el caldero y después herviremos el muñeco para que nuestro conjuro actúe sobre los dos.

—¿Qué has puesto dentro? ¿Sesos de cordero?

—No, hija. He hecho el sacrificio y he utilizado al bebé de la botella.

La pequeña Jennet dejó escapar un gran alarido, a tal punto que la trampilla del techo se retiró durante un segundo y alguien preguntó qué había ocurrido.

—Era mi juguete.

—Era tu juguete, sí, bien lo sé, y he tenido que romper la botella para sacar el bebé, pero ahora nos liberará a todos y nos dará poder y entonces podrás tener todos los juguetes que quieras.

—Ahora que el bebé está hervido no tendré con quien hablar.

—Hablarás con la cabeza, tesoro, y la cabeza hablará contigo. El bebé no hablaba, ¿a que no?

Con el sucio rostro bañado en lágrimas, Jennet negó con la cabeza. Era un triste espectáculo: sucia, andrajosa y llena de cardenales, con el pelo rubio enmarañado y la piel encallecida de tanto gatear y ocultarse.

—Te di la lengua de Robert Preston cuando la encontré debajo del arbusto. Me dijiste que me darías algo a cambio.

—¡Y así será! —dijo su madre—. Pronto todo esto cambiará.

Mouldheels había concluido su horripilante labor de costura. La hinchada lengua negra asomaba de la cavidad de la boca.

Metió la cabeza en el guiso. El caldero hervía con una espuma nauseabunda.

Mouldheels fue a coger el muñeco que había confeccionado, le clavó un palo afilado y lo bautizó en el caldero: «A su imagen y semejanza está moldeado; él morirá». A continuación lo sumergió en el agua espumosa. El muñeco chilló.

Elizabeth empujó a Mouldheels a un lado y con un par de grandes tenazas buscó la cabeza en el caldo hirviendo, la sacó y la puso a escurrir. Gran parte de lo que quedaba de la carne en descomposición se había cocido y desprendido en el caldero. La cabeza conservaba unos cuantos mechones y la lengua nueva. Descansaba sobre el altar, chorreante y envuelta en vapor.

El hedor de la bodega era tal que el grupo reunido en el piso superior empezó a quejarse. Elizabeth se subió a la escalerilla carcomida y asomó la cabeza en la habitación.

—Cuando seáis libres y Roger Nowell haya muerto, no os quejaréis. Y cuando seamos libres volaremos al castillo de Lancaster, donde el Caballero Oscuro recompensará nuestros sufrimientos.

—No podemos hacerlo sin la Vieja Demdike o sin la señora Nutter —dijo alguien.

Elizabeth montó en cólera.

—He reclamado el poder. Yo os guiaré. Mi prueba será la prueba de mi conjuro. —Regresó a su madriguera—. Mouldheels, trae la cabeza.

Mouldheels tomó un trapo y envolvió en él la cabeza mojada. Elizabeth trepó por la escalerilla hasta la sala redonda de Malkin Tower y se agachó para coger la cabeza. Cuando la mostró, el grupo contuvo el aliento.

—Sí —dijo Elizabeth—, ahora me veis. He creado la cabeza que ni siquiera Demdike logró crear. La cabeza os hablará, confirmará mi poder y nos guiará fuera de aquí.

La depositó sobre la mesa de tablones.

—Cuando se ponga el sol, hablará. En el nombre de Demdike, hablará.

En la bodega, Jennet Device rebuscaba en el caldero los restos de su bebé embotellado. Encontró una manita minúscula y se la guardó en el bolsillo del vestido.

La niebla

Al regresar a caballo a Rough Lee, Alice Nutter se enteró de que Roger Nowell había ordenado registrar la casa. Estaba sentada en su estudio con Christopher Southworth. Él no paraba de tocarse el cuello. Ella hizo una broma sobre la horca. Él negó con la cabeza.

—He perdido el crucifijo. Me lo quité en tu lecho. No logro dar con él. Me lo quité para hacerte el amor.

Ella le besó mientras estaban sentados junto a la chimenea. Había tomado una decisión.

—Me iré contigo a Francia, Kit.

Él la miró incrédulo. Ella se levantó.

—Anoche soñé con Elizabeth Southern, si es que fue un sueño… o una pesadilla. Por primera vez en mucho tiempo tuve miedo. Es como si viniera a buscarme.

—¿A buscarte? ¿Desde la tumba?

—O desde un lugar cercano. —Alice lloraba. Christopher quiso consolarla, pero ella le rechazó.

»La noche de la que te hablé, en la casa que Elizabeth Southern tenía en Vauxhall, cuando la oí decir: "Ella es la Elegida", tuve la certeza de que iban a ofrecerme en sacrificio, aunque no sabía qué clase de sacrificio era.

Una figura encapuchada avanzó hacia mí. Cogí las dos velas de azufre y brea. Se las arrojé a la forma espantosa. El fuego prendió los ropajes de la criatura. Los presentes en la sala retrocedieron. Eso me dio valor. Corrí de costado hacia la puerta. La alcancé; estaba cerrada a cal y canto. La muchedumbre me miraba y la figura aterradora se acercaba a mí envuelta en llamas.

Me quité la enagua y le prendí fuego con una antorcha de la pared. Los dos ardíamos. Agité la tela en llamas delante de mí para crear una barrera de fuego entre la muchedumbre y yo. Alguien la cogió y se quemó la mano. Otro intentó deslizarse detrás de mí, pero le fustigué la cara con la prenda en llamas.

A mi espalda había una ventana que daba a la calle. Reculé hasta ella y salté sin pensarlo. Tenía la piel chamuscada y el pelo ardiendo. Corrí hacia el Támesis y me zambullí. Nadé contra la corriente como una sirena en llamas hasta llegar al Bankside. Trepé como pude a un muelle bajo y me desplomé medio ahogada en mi casa.

John Dee me esperaba.

Me curó las quemaduras con salvia. Me llevó a la cama. Me miró muy serio.

—Nacida en Fuego. Calentada por el Fuego. Por Fuego partiréis.

—¿Qué decís?

—Vuestro nacimiento. Nacisteis bajo el signo de Sagitario. Habéis nacido del fuego. Esa es la primera parte de la profecía. Habéis estudiado las artes alquímicas; por lo tanto, os ha calentado el fuego. Esa es la segunda parte de la profecía. La tercera parte se refiere a cómo moriréis. Elegid vuestra muerte o el fuego os elegirá a vos.

—No entiendo lo que decís.

—Elizabeth os ha traicionado. Vendió su alma a cambio de disfrutar de riqueza y poder durante un tiempo determinado. Ahora, a menos que haya una sustituta para su alma, lo perderá todo. Vos sois la sustituta.

—No creo en esas cosas.

—No importa lo que creáis. Creed lo que es.

John Dee se levantó y me acercó un espejo. Era un espejo que yo misma había fabricado con mercurio. Ofrecía un reflejo en la superficie, como todos los espejos, pero detrás del reflejo había una imagen de fondo, como un estanque púrpura.

—¿Por qué creéis que tenéis un aspecto tan joven, Alice? Ya contáis casi cuarenta años.

—Es cierto que parece que haya rejuvenecido desde que os conocí.

John Dee asintió.

—Mercurio es un espíritu juvenil. En la obra alquímica, es la fuerza renovadora.

—Entonces, ¿se debe al mercurio que he estado utilizando?

John Dee negó con la cabeza.

—Solo en parte. He experimentado con un elixir. Es el elixir que os dije que os echarais por todo el cuerpo una vez al mes, con la luna nueva.

—Y a Elizabeth también. ¿Es ese el secreto de su belleza?

—La belleza de Elizabeth está desprendiéndose de su cuerpo como un abrigo hecho jirones. No ha conseguido sacrificaros en su lugar. Mirad el espejo: Elizabeth ya ha empezado a envejecer y a marchitarse.

Miré el espejo: su piel era como pergamino extendido sobre su rostro. Llevaba escritas en el cuerpo la enfermedad, la desfiguración y la muerte.

Christopher Southworth se incorporó.

—Alice, ¿quién es Elizabeth Southern?

—Southern era su apellido de soltera. Se casó con un hombre llamado Device. Elizabeth Southern es la Vieja Demdike.

Maldita seas

Roger Nowell tenía dolores. Habían empezado alrededor de mediodía, cuando terminó de almorzar y se levantó de la mesa. Las piernas no le sostuvieron. Sintió un dolor agudo en la ingle, como una cuchillada. Tuvo que agarrarse al borde de la mesa de roble para no caer. Llamó a un criado, que le ayudó a subir por las escaleras y a meterse en la cama. Como el médico no podía atenderle de inmediato, llamaron a la herbolaria de Whalley. Cuando llegó, Roger Nowell tenía fiebre y los ojos inyectados en sangre.

—Están apuñalándome —dijo el magistrado—, atravesándome con hierros afilados. —Gritó y se apretó el pecho mientras lo desgarraba un nuevo dolor lacerante.

La herbolaria le desabrochó la camisa. Echó hacia atrás las mantas para mirarle las piernas. Parecía que alguien hubiera apuñalado el cuerpo de Nowell una y otra vez. Estaba cubierto de marcas rojas. Las marcas sangraban.

—Esto no es una calentura natural —concluyó la herbolaria—. Esto es brujería.

—Demdike —dijo Roger Nowell—. Maldita sea. Ojalá arda en el Infierno.

Potts irrumpió en la habitación con aire triunfal.

—¡Tengo una noticia sensacional! Christopher Southworth está en Lancashire. Christopher Southworth está en Rough Lee.

—Lo sé —dijo Roger Nowell.

—¿Lo sabéis? ¿Y no hacéis nada?

—Nada puede hacerse. He mandado registrar la casa de arriba abajo. Ni rastro del hombre.

—Arrestad a la señora Nutter.

—No puedo arrestar a una mujer por ofrecer refugio a un hombre que no aparece.

—¡Está allí! —exclamó Potts dando una patada en el suelo.

—Estoy enfermo —dijo Roger Nowell.

Potts se acercó a la cama. Vio que en efecto estaba enfermo.

—¡Esto es brujería! —dijo.

—Demdike —dijo Roger Nowell—. He ordenado que traigan al grupo de Malkin esta noche. Si aún sigo con vida, les tomaré declaración.

—Yo me encargo de eso —exclamó Potts, que sentía próximo su momento de gloria—. Y, aunque seáis víctima de la brujería, ¿por qué culpáis del delito a la Demdike? Yo diría más bien que esto es obra de Alice Nutter.

La herbolaria se indignó.

—La señora Nutter es experta en las artes alquímicas y conoce bien sus plantas y polvos, pero no es una bruja y estoy dispuesta a jurarlo.

—Tú no jurarás nada a menos que quieras acompañarla a la hoguera —replicó Potts.

La herbolaria no dijo nada. Preparó una pócima y ordenó a

Roger Nowell que se la tomara. Él así lo hizo y se durmió de inmediato.

La herbolaria indicó al ayuda de cámara que dejaran descansar a Nowell hasta que despertara de forma natural. Acto seguido, subió al burro y se dirigió a Rough Lee.

Se estrecha el cerco

La niebla blanqueaba la ventana.

—Huye —le dijo Alice a Christopher Southworth—. Tengo aquí cien libras. Tómalas. Llevaré más en joyas. Enviaré un baúl a un amigo de confianza que vive en Londres. Dispondremos de ropa blanca y de plata.

Se levantó y se acercó al armario del rincón.

—Esta es la llave de mi casa de Bankside. Está alquilada, pero hay una habitación en la que nadie puede entrar. Entrégales este anillo de sello y muéstrales esta llave.

Le dio los objetos.

—¿Cuándo vendrás? —preguntó él.

—Te seguiré mañana.

Christopher la besó. Le tomó el rostro entre las manos.

—Te amo.

Alice miró por la ventana. La casa y las tierras estaban tan silenciosas y vacías como la niebla.

—Te traeré un caballo. Cuando me oigas bajo la ventana, salta.

Alice se dirigió a los establos. Los mozos de cuadra estaban en la cocina a esa hora, al abrigo del frío, comiendo. No tenían instrucciones y ya se habían ocupado de los caballos. Alice ensilló un alazán. Se agachó y le levantó los cascos para envolverlos en bolsas de tela y lo condujo despacio y sigilosa hacia un costado de la casa.

Christopher estaba asomado a la ventana, pero la niebla era tan espesa que no vio a Alice hasta que estuvo justo debajo. Se colgó en bandolera los odres de agua y vino, se cercioró de que llevaba la daga y se ajustó la capa. Se tocó el cuello. ¿Dónde estaba el crucifijo?

Pero no había tiempo. Saltó por la ventana con parteluz de piedra y cayó con suavidad en el suelo. Alice sostuvo el caballo mientras él montaba.

—No te retrases —dijo Christopher—. Tengo miedo.

Ella no respondió. Se inclinó hacia delante y le besó la mano. Él se alejó despacio a lomos del alazán y cruzó las puertas en silencio. Cuando estuvo fuera de peligro, retiró de los cascos las bolsas de tela y partió al trote. La niebla era su aliada. Conocía el camino.

Alice no volvió a entrar. Rodeó la casa por un costado para dirigirse a un asiento situado bajo un manzano todavía desnudo, cuyas ramas no se habían decidido a echar hojas. Se sentó y hundió el rostro en las manos, agradecida por la densa quietud que ofrecía la niebla.

Sabía que debía reunir los documentos de arrendamiento y de propiedad vitalicia. Tenía plata escondida. Tardaría una semana en llegar a las afueras de Londres. Iría a caballo hasta Preston, donde vendería la montura y tomaría la diligencia a

Manchester. En Manchester se convertiría en otra persona y, como otra persona, se dirigiría a Londres.

Estaba pensando en todo esto cuando su halcón voló como un espíritu fantasmal hasta el manzano. Advirtió que algo caía en su regazo, y después algo más, y algo más. Parecían guijarros.

Cogió una de las piezas. No era un guijarro. Era un diente humano.

Que empiece

En Malkin Tower, Elizabeth Device y la Vieja Mouldheels habían ahorcado al muñeco de Roger Nowell. Tenía las piernas erizadas de alfileres.

El grupo estaba cada vez más inquieto. Se habían sentado en círculo delante de la cabeza supurante, a la espera de que hablara. Aún no había hablado.

Por las ranuras de las paredes de la torre veían a los guardias. La luz menguaba. El Portal del Crepúsculo.

—Propongo que nos fuguemos, que ataquemos a los guardias —dijo Agnes Chattox—. Tenemos un gancho de carnicero y una horca.

—Os digo que Roger Nowell está postrado en cama y no se levantará.

—Si se levanta antes de que salga la luna, ninguno de nosotros volverá a ver el sol.

—Os digo que habrá muerto al caer la noche. Os digo que la cabeza hablará.

—Si la cabeza no habla antes que el señor Nowell, ninguno de nosotros volverá a hablar.

Más

—Estos dientes proceden de las tumbas recién profanadas en Newchurch, de Pendle —dijo la herbolaria—. ¿No os habéis enterado?

—Estaba en Hoghton.

—Macabra empresa donde las haya. Cabeza, huesos, dientes... sacados de una tumba como gusanos de una barrica.

—Los Demdike están encerrados.

—Si están en Malkin, no están encerrados. Hay una salida.

—La torre se halla en mis tierras. No hay modo de salir de ella.

—Dispone de una salida —insistió la herbolaria—. Os digo que Jennet Device estuvo anoche en el Dog con Tom Peeper y que James Device es más listo de lo que imagináis.

—Aunque Jennet y Jem hayan profanado las tumbas, es imposible que regresaran a Malkin para entregar su bolsa de desechos.

—Por supuesto que lo hicieron. Os garantizo que fue Jennet quien se llevó la cabeza entera, cortada y llena de gusanos, y la coló como una vejiga de cerdo por el agujero.

—¿Qué agujero?

La herbolaria se llevó las manos a la cabeza.

—¿Y con qué propósito?

—¡Un conjuro! ¡Qué decís! ¿Estáis loca? ¿Habéis perdido la razón? Os juro que han cosido un muñeco, lo han hechizado y le han clavado alfileres en las piernas. Los dientes son para el dolor. ¡Dios sabe, y me santiguo aunque sea una forma de la antigua religión, lo que habrán añadido a ese caldo del Diablo!

—¡No! —dijo Alice—. Somos viejas amigas, pero tú eres supersticiosa y yo no. Roger Nowell cabalgó a toda prisa en un amanecer húmedo, eso lo explica todo. Quizá crea que es brujería. Eso no significa que lo sea.

—Alice, yo creo que es brujería. Roger Nowell cree que es brujería. Pronunció el nombre de Demdike y luego ese hombrecillo engolado que ha venido para asistir a las audiencias…

—Potts.

—Potts mencionó vuestro nombre.

—¿El mío?

—¡Alice! Me enviasteis al pobre idiota de Robert Preston con la lengua arrancada y todo el mundo comenta que os pusisteis del lado de la gata Demdike, que se la arrancó de un mordisco. En el Dog se dice que impedisteis que metieran en el río a una bruja. Yo voy a beber al Dog. Oigo cosas. Ahora oigo vuestro nombre con demasiada frecuencia. Si Roger Nowell no se recupera, os culparán a vos.

—Esto nada tiene que ver con la brujería.

—Alice, sé que ocultáis al sacerdote. No soy la única que lo comenta en voz baja.

—Se ha ido.

—Bien.

—¿Qué me aconsejas?

—Id a Malkin. Encontrad el muñeco hechizado. Destruidlo antes de que Roger Nowell muera.

Habla la araña

James Device estaba encerrado en un dormitorio del primer piso del Dog. No le importaba. Le daban de comer y tenía un sitio donde dormir, al abrigo de la lluvia de abril.

Estaba sentado en el antepecho de la ventana de la habitación desnuda, que solo tenía un jergón de paja. No estaba acostumbrado a estar solo, salvo cuando cazaba furtivamente en el bosque, y en el bosque nadie se hallaba nunca solo. Había otras criaturas que también buscaban comida. Jem era amigo de la nutria y el tejón, del zorro y el conejo, y, si tenía que atrapar un conejo o arrebatarle un pez a la nutria, no por ello dejaba de ser su compañero. Conocía los árboles, y se apoyaba en ellos con sus preocupaciones y a veces con su felicidad. Hacía mucho tiempo que no era feliz.

Se palpó el bolsillo. Allí estaba la araña.

Era una araña grande, más o menos del tamaño de la palma de su mano. La miró. Le gustaban sus ojillos brillantes y sus patas hirsutas. Acarició su cuerpo negro. La araña cargaba un pequeño saco de huevos.

—James Device —dijo la araña—, esta noche deberás confesar todos los delitos de tu abuela, de tu madre y de tus hermanas.

—Pero no los de la pequeña Jennet.

—Pero sí los de Alice Nutter.

—Y entonces seré libre para siempre, ¿verdad?

La araña agitó dos patas. Jem creyó que le pedía la libertad.

—Buscaré un rincón donde puedas tejer tu tela y colgaré un murciélago cerca para que puedas darte un festín. Podrás comértelo vivo y usar sus alas de piel para volar. Una araña que no es una mosca pero que puede volar. —Se rió de su propio ingenio.

—James Device —dijo la araña—, huye.

—¿Que huya? Pero ¿y mi recompensa?

—Te he dado mi consejo —dijo la araña.

—¡Me has dicho que confiese! ¡Me has dicho que me protegerías! Me has dicho que sería más poderoso que Alice Nutter.

—Ni ocho patas bastarían para alejarte de aquí lo bastante deprisa —afirmó la araña.

Salvadme

Tom Peeper y el alguacil Hargreaves terminaron de beber en el Dog y partieron hacia Malkin Tower. Cada uno llevaba una red y un garrote. Ardían en deseos de usarlos.

Alice Nutter y la herbolaria ya estaban en la torre. Alice, a lomos de la jaca; la herbolaria, sobre el burro. Habían acordado que Alice discutiría con los guardias apostados en la parte delantera de la torre mientras la herbolaria se deslizaba sin ser vista hasta la parte posterior, que daba al norte, donde sabía que se hallaba la entrada secreta.

La herbolaria dejó que el burro fuera a comer los brotes nuevos del espino y no le sorprendió ver a Jennet sentada junto a la torre, con la espalda apoyada contra la pared. La niña la miró sin decir nada. Estaba acostumbrada a que los adultos quisieran siempre algo de ella.

—¡Jennet! Sé que puedes entrar.

—¿Y qué pasa si puedo?

—¡Entra y trae el muñeco que ha hecho tu madre!

La niña negó con la cabeza.

—No puedo. Está hechizado.

—Pero no contra ti. Si me lo traes, te daré algo bueno.

La niña se mostró interesada. La herbolaria sacó del bolsillo un muslo de pollo. Se lo arrojó a la niña, que lo cogió con una mano y lo devoró hasta no dejar ni los huesos, sin apartar ni un momento la vista de la herbolaria.

—Y eso es solo el muslo. Podrás comerte el pollo entero. Además te daré esta moneda de seis peniques. —Sacó la gran moneda reluciente, que llevaba la efigie de Isabel.

Sin decir una palabra, Jennet desapareció como si se desvaneciera en el aire. La herbolaria se sentó. Tendría que esperar.

En la parte sur de la torre, Alice Nutter discutía con los guardias para que la dejaran entrar; la torre era suya. Los guardias se negaban. Cuando la riña subió de tono, el grupo que estaba dentro se apiñó junto a las ranuras para mirar. La cabeza y el muñeco quedaron desatendidos.

Escurriéndose como un pez, Jennet apareció en la estancia y vio la escena. La cabeza estaba sobre la mesa. El muñeco se hallaba detrás, junto a la escalerilla que daba acceso a la bodega.

Jennet era una ladrona tan veloz como el resto del clan Demdike, y más menuda y ligera. En un segundo tenía la muñeca, bajó por la escalerilla, salió por el agujero oculto y trepó por la zanja. Arrojó el muñeco a la herbolaria, quien le arrancó los alfileres y lo guardó en la alforja del burro, al que apremió para que se pusieran en marcha. Jennet obtuvo la moneda de seis peniques y el pollo. Se adentró con ellos entre los arbustos.

En Read Hall, Roger Nowell se rebullía. Podía mover las piernas. Todavía tenía fiebre, pero ya no estaba paralizado.

Tom Peeper y el alguacil Hargreaves cabalgaron despacio hasta Malkin Tower. No les alegró ver a Alice Nutter.

—Hemos venido en nombre de la Corona para llevar a los prisioneros a Read Hall —dijo el alguacil Hargreaves con la torpeza que le caracterizaba—. No podéis entrar en la torre. Si tenéis alguna queja, debéis exponerla ante el magistrado.

—Pronto tendrá que presentarse ante él —dijo Tom Peeper.

Alice se volvió hacia el hombre.

—No tenéis modales ni encanto, como tampoco belleza, cerebro ni don alguno, y aun así estáis vivo, mientras que muchas mujeres que no hacían nada salvo hilar y tejer y apañárselas como podían han muerto en la horca o en la hoguera. ¿Podéis explicármelo?

—Yo no soy bruja, señora —respondió Tom Peeper—. Y hablando de belleza, ¿podéis explicarme la vuestra?

Alice le cruzó la cara con la fusta. Él se limpió la sangre y le escupió.

—No tardaréis en arder en la hoguera.

Antes de que Alice pudiera responder, los guardias habían colocado el puente levadizo sobre el fétido foso y abierto la puerta de la torre. Elizabeth Device fue la primera en salir.

—Sin duda ha perdido su belleza —dijo Peeper—. Aunque tampoco es que Lizzie la Bizca la haya tenido nunca. Debería estar agradecida al hombre que le dé un beso como quien arroja un hueso viejo a un perro.

—¡Salvadme, Alice Nutter! —gritó Elizabeth Device.

—Crees que te rescatará y huiréis volando las dos, ¿verdad?

—dijo el alguacil Hargreaves—. Demasiado tarde para alzar el vuelo.

Cuando Elizabeth se acercó, Tom Peeper la golpeó con el garrote en los hombros. Ella cayó al suelo profiriendo maldiciones.

Sacaron a los demás cautivos. El alguacil Hargreaves lanzó su red sobre los que iban delante; Tom Peeper apresó con la suya al resto. Y de esta forma quedaron todos prendidos, como peces humanos, con un guardia a cada lado. Abatidos, andrajosos y atemorizados, emprendieron la marcha hacia Read Hall.

Alice los observó mientras se alejaban. Elizabeth Device se volvió, con una expresión derrotada y furiosa en el rostro, la sangre manándole del oído.

—¡Alice Nutter! ¡Salvadme u os condenaréis conmigo!

El pasado

El grupo de infelices desapareció cuesta abajo. Alice rodeó la torre en busca de la herbolaria, pero esta se había marchado. Se detuvo junto al arbusto tras el que se escondía Jennet Device, pero la niña estaba quieta como un sapo. Solo sus ojos vigilantes se movían.

Dios, qué lugar más espantoso. Alice lo odiaba. Tendría que haber mandado que lo derruyeran. Lo habría hecho si la Vieja Demdike no le hubiera suplicado que lo dejara donde estaba.

Y Demdike tenía sus motivos. Su abuela y su madre se habían refugiado allí.

Malkin Tower era el lugar agreste y abandonado al que Isolde de Heton había llegado con su bebé cuando la expulsaron de la abadía de Whalley, una mujer caída en desgracia, una satánica...

Allí, junto con Blackburn, su aguerrido amante, crió a la pequeña, rechazada por la sociedad. Pese a ser una mujer de noble cuna, la rehuían.

Allí, sola durante días, noches, semanas y meses, enseñó a

su hija, Bess Blackburn, a mofarse de la chusma y deleitarse en la soledad. Durante las infrecuentes visitas de Blackburn, que regresaba tras dedicarse a saquear y robar, la torre se iluminaba y transeúntes atemorizados afirmaban haber visto diablillos dando vueltas como murciélagos alrededor del edificio. Se oían ruidos extraños, risas y gritos. Cuando Blackburn volvía a partir, Isolde y Bess tenían ropa y caballos nuevos y salían a cabalgar por Pendle Forest y Pendle Hill, lejos de los senderos y caminos. Si alguien se cruzaba con ellas, no le hablaban.

Isolde murió —o desapareció por arte de magia, según algunos— a manos de su demoníaco amante. Su hija Bess tenía dieciséis años en aquel entonces; cansada de la vida en soledad, tomó el dinero atesorado en la torre —una suma cuantiosa— para utilizarlo como dote y se casó con un hombre de Whalley.

Bess Blackburn dio a luz una hija. La bautizó con el nombre de Elizabeth, como ella, aunque hay quien dice que la Vieja Demdike fue bautizada dos veces: una por Dios y la otra por Satán, en la poza negra al pie de Pendle Hill.

Alice rodeó presurosa la torre hasta la parte delantera. Entró y se detuvo en la espantosa sala. Las paredes estaban ennegrecidas por el humo, brillantes por la grasa y verdes de moho.

Reparó en un hueco abierto en la pared, tapado por una cortina de saco. Descorrió la cortina. Ocultaba una pequeña alcoba, sorprendentemente limpia y acogedora, con paja limpia. Las paredes estaban cubiertas de arriba abajo de dibujos y jeroglíficos alquímicos.

Alice examinó una pared con atención. Sabía interpretar los símbolos. Por un momento olvidó dónde estaba y creyó que se hallaba de nuevo en Bankside, con Elizabeth, estudiando conjunciones planetarias.

En la pared había calendarios lunares y cálculos relativos a las estrellas. Estaba la carta astral de Demdike. Y debajo estaba la de Alice, aunque no figuraba su nombre. Con un sobresalto vio que habían calculado la fecha de su muerte.

Salió de la alcoba y corrió la cortina. Estaba sudando. Se volvió hacia la sala. Caía la noche. El Portal del Crepúsculo.

En la tosca mesa algo irradiaba una leve luminiscencia verde. Era la cabeza.

Alice no daba crédito a lo que veía. Las cuencas de los ojos vacías, la nariz deshecha, jirones de fétida piel hervida que colgaban del cráneo. Una pequeña rama mantenía abierto el hueco de la boca, de la que salía una lengua negra y gorda. La lengua de Robert Preston.

Logró mantenerse en pie y no vomitar. No se oía ningún sonido aparte de su respiración entrecortada.

La laxa boca de la cabeza pareció crisparse. La lengua negra se movió despacio arriba y abajo en el agujero eructado.

Entonces la cabeza habló.

—Nacida en Fuego. Calentada por el Fuego. Por Fuego partirás.

Alice gritó y salió corriendo de la torre, desató el poni y bajó al galope por la cuesta sin mirar atrás.

La niña Jennet Device se asomó por la trampilla de la bodega y se acercó a la cabeza. Le dio unas palmaditas. Dejó la mano del bebé delante de la boca caída y se sentó con la espalda apoyada contra la pared para terminar de comerse el pollo mientras cantaba para sí una nana que había aprendido en alguna parte.

Thomas Potts, de Chancery Lane

El interrogatorio de Elizabeth Device, de Pendle Forest, condado de Lancaster. Viuda. Llevada a Read ante el señor Roger Nowell. Juez de Paz de Su Majestad en dicho Condado.

—Los sirvientes de Satán —dijo Potts cuando condujeron a la banda de Malkin Tower al salón de Read—. Ya he hablado con aquella a quien llaman Vieja Demdike. Está en la mazmorra de Lancaster y no pide clemencia. Decís que esta es su hija. Entonces es a quien debemos oír en primer lugar.

Roger Nowell asintió. Ya no sentía dolores ni molestias. Jamás había creído que un hombre pudiera ser víctima de la brujería hasta que lo sufrió en sus propias carnes. Ahora sí lo creía.

Potts comenzó su trabajo. Acusó de traición a Elizabeth Device. ¿No conocía la Ley sobre Brujería de 1604?

Elizabeth guardó silencio.

Potts la puso al corriente.

—Invocar a un espíritu es un delito castigado con la muerte.

Elizabeth Device dijo que no había invocado a ningún espíritu y que no conocía a ninguno.

—¿Y qué me dices de Tibbs, el familiar de la Vieja Demdike? ¿Y de Bola, el perrito marrón que, según dicen, es tuyo?

Había un perro. Había muchos perros. Elizabeth no mordió el anzuelo.

—¿Y qué me dices de las imágenes de barro?

Elizabeth no había hecho ninguna imagen de barro.

—¿Y qué me dices de la mutilación de John Law, el buhonero, obra de tu hija Alizon?

Elizabeth no era responsable de su hija ni de su madre.

—Llamad a James Device —ordenó Potts.

Jem entró. No había huido sobre dos piernas ni sobre ocho. Miró en derredor, observando la elegancia del salón. Estaba cohibido, borracho, desconcertado. Pero sabía lo que debía hacer.

POTTS: ¿Tienes un familiar a tu servicio?

JEM: Se llama Dandy. Es un perro.

POTTS: ¿Qué hace por ti?

JEM: Me trae cosas.

ELIZABETH DEVICE: Para eso sirven los perros, ¡mentecato!

POTTS: ¡Silencio! James Device, ¿confirmas que tu madre, Elizabeth Device, el día de Viernes Santo convocó la reunión de Malkin Tower?

JEM: Sí.

POTTS: ¿Y con qué propósito?

JEM: Organizar un complot para liberar a las que están en prisión.

POTTS: ¿Algo más?

JEM: Matar al carcelero.

POTTS: ¿Algo más?

JEM: Invocar a un espíritu, aunque no invocó a ningún espíritu.

ELIZABETH: ¡Eres un cochino rastrero! ¡Miente!

POTTS: ¿Y por qué iba a mentir?

ELIZABETH: ¡Para salvar el pellejo, idiota londinense!

Potts se levantó. Era de corta estatura, pero se irguió cuan largo era. «No permitiré que me insulte una ramera y una bruja.»

ELIZABETH: Me alegra oírlo, pues no soy ni lo uno ni lo otro.

POTTS: ¿Negáis los cargos de que se os acusa?

ELIZABETH: Los niego.

POTTS: Tú, James Device, ¿testificarás contra tu madre?

JEM: Sí.

POTTS: ¿Y contra los aquí reunidos que estaban en Malkin Tower?

JEM: Sí.

POTTS: En ese caso, poco resta por decir. ¡Magistrado! Recomiendo que mandéis a esta chusma de Malkin a prisión y que volvamos a oírles, delante de un juez, en las audiencias de Lancaster.

ELIZABETH: Si testifica contra mí, yo testificaré contra él. ¡Escapó de Malkin Tower convertido en liebre!

Se hizo un silencio en el salón. Jem se echó a reír.

—Estoy a salvo, ¿no es verdad, alguacil Hargreaves y Tom? Nadie va a hacerme nada. Ahora me iré a casa y cuidaré de Jennet.

Se hizo un silencio en el salón. Hargreaves miraba al suelo. Tom Peeper miraba por la ventana. Potts levantó la mirada de las notas que tomaba diligentemente.

—Llevaos a James Device junto con los demás. El juez decidirá.

Jem corrió hacia la ventana, pero era demasiado tarde. Unas manos fuertes lo sujetaron. Miró a Tom Peeper con expresión implorante, sin comprender lo que ocurría.

—Dijisteis que conseguiría empleo en una granja, y ropa y comida, y una doncella...

Tom Peeper se rió.

—Si el juez te deja en libertad, quizá. Pero tu madre ha admitido que te convertiste en liebre y, señoría, eso mismo me dijo a mí, aunque creí que estaba borracho.

—El cambio de forma es una práctica común —dijo Potts—. Temporal, pero común. Tengo su propia confesión, ahora corroborada por su madre. Con eso basta.

Elizabeth Device se echó a reír. Era una risa aguda y demente.

—Bien hecho, maravilloso producto de mi vientre. ¿Qué has ganado? ¡Nada! Y, ah, ¿qué has perdido? ¡Todo!

—¡Está Jennet! —gritó Jem—. Hay que alimentarla y cuidar de ella.

Tom Peeper dio un paso al frente.

—Yo me ocuparé de la niña, señorías.

Elizabeth volvió a reírse. Esta vez era una risa áspera y asqueada.

—¿De veras, después de todos estos años? Bien, bien, a fin de cuentas eres su padre.

Roger Nowell se mostró horrorizado. El semblante de Tom Peeper era taimado. El alguacil Hargreaves se miró las botas. James Device se quedó boquiabierto. Cerró la boca, sacó los puños de los bolsillos y tumbó a Tom Peeper de un solo puñetazo. El hombre quedó inconsciente en el suelo.

—Es lo único bueno que has hecho en tu repugnante vida —dijo Elizabeth Device—. Y no hubo romance, caballeros. Tom Peeper me violó. Dijo que, con mi aspecto, debía alegrarme.

Jem la miró con odio.

—Has dejado que vendiera a tu hija a su propio padre.

—La habrías vendido a cualquiera —replicó Elizabeth—. Al menos él le compraba algún vestido de vez en cuando.

Roger Nowell se levantó.

—Basta. Lleváoslos. La niña Jennet dormirá y comerá en mi cocina a partir de ahora. —Miró a Tom Peeper, que seguía en el suelo—. Hargreaves, arrojad a esta alimaña al estanque. Si se ahoga, dejadle. Si no, mantenedlo fuera de mi vista.

Hargreaves ordenó a sus hombres que cargaran el cuerpo inconsciente.

—Vosotros, los de Malkin —prosiguió Roger Nowell—, saldréis de aquí al amanecer, salvo Elizabeth Device y James Device, que partirán a mediodía. Llevadlos a la bodega. Dadles de comer.

—Falta una —dijo Elizabeth.

—¿Hay otra bruja? —preguntó Potts—. Si testificas, redundará en tu favor.

—¡Mentís! —exclamó Jem.

—¿Me prometeréis algo delante de testigos? —dijo Elizabeth Device.

Potts indicó con un gesto que se llevaran a los demás. Quedaron solo ellos tres en la sala.

—No quiero cadenas ni grilletes, ni que me cuelguen, ni morir en la hoguera —dijo Elizabeth—. Anotadlo. Señor Nowell, firmad como testigo.

—¿Quién es? —preguntó Potts—. ¿Quién es la bruja?

—Alice Nutter —respondió Elizabeth Device.

Corre el tiempo en el reloj de arena

Alice Nutter regresó a Rough Lee. La herbolaria la esperaba con el muñeco.

—¿Me creéis ahora?

Alice asintió. Temblaba. No mencionó la cabeza.

—¿Me ayudarás?

Metieron plata y ropa en el baúl y mandaron a los mozos de cuadra que lo cargaran en el carro al que habían uncido el burro de la herbolaria, que se marchó con dinero para llevar dos caballos y un carruaje a Manchester a la mañana siguiente.

Alice guardó las joyas, el dinero y las escrituras de propiedad en una bolsa de cuero blando que ocultó en el pasadizo que conectaba el estudio con el dormitorio. Cuando fue a sacar del armario varios frasquitos de líquido, vio la carta de Edward Kelley, que seguía donde la había dejado el día que la vio arder.

La sacó.

«Y si le llamáis, como a un ángel del norte con su oscuro atuendo, él os oirá y acudirá a vos. Le hallaréis, empero, donde puede ser hallado: en el Portal del Crepúsculo.»

Se guardó la carta en el vestido.

Luego abrió una cajita y sacó un espejo diminuto. El espejo tenía el borde y el dorso de plata, y estaba hecho de azogue. Era el espejo que John Dee le había regalado.

Solo faltaba una cosa: el frasco del elixir.

Se fue a la cama. Giró el reloj de arena para que empezara a contar las horas. Se levantaría a las dos de la madrugada y a las tres ya habría partido.

Y el tiempo se acaba

Alrededor de las nueve de la noche Christopher Southworth llegó a Lancaster.

Dejó el caballo en el Red Lion, cerca de Gallows Hill, pidió una habitación y comió pan y carne. Luego se encaminó sin ser visto hacia el castillo de Lancaster.

Resultó fácil sortear a los centinelas. La niebla no se había disipado. Christopher Southworth era prácticamente invisible. Llevaba una cuerda y un gancho. Escaló el muro. No era la primera vez que lo hacía.

Encontró la Mazmorra del Foso gracias a la rejilla del suelo.

Se agachó.

—¡Jane!

Jane Southworth estaba en su lugar habitual, bajo la rejilla, esperando la lluvia. Oyó su nombre. Supo entonces que se había vuelto loca. La voz sonó de nuevo:

—¡Jane!

Alzó la vista hacia la rejilla, treinta pies más arriba. No vio nada. Oyó que alguien retiraba la rejilla. Miró alrededor. Las demás dormían, salvo Nance Redfern, que estaba con el carcelero.

Una cuerda cayó en la mazmorra. Por ella bajó Christopher Southworth.

—¡Jane! —La estrechó entre sus brazos. Ella supo entonces que debía de estar muerta—. Jane, sube a mi espalda y nos iremos. ¡Vamos!

Ella lo miró meneando la cabeza.

—¿Eres tú, Kit? ¿Estoy muerta?

Christopher le dio agua y ella se bebió el odre entero. Le dio un pedazo de carne que ella comió despacio, sin apartar la vista de él. Christopher le dijo que no estaba muerta. Que había venido de Francia para rescatarla.

—Es un complot —dijo ella—. Obligaron a una niña a que me acusara de haber celebrado una misa negra. Mi criada me acusó de clavar alfileres en una muñeca. Encontrarán la manera de destruir a los Southworth.

Christopher la abrazó; su hermana era todo hueso y mugre. Tuvo ganas de llorar y de derribar la mazmorra con sus propias manos.

—Agárrate bien a mí. Tengo fuerzas suficientes para sacarte de aquí. Nos iremos enseguida a Londres y después a Francia.

Ella negó con la cabeza.

—Si me juzgan quizá me absuelvan. Si huyo contigo esta noche, aunque no nos atrapen, dirán que ha sido obra de brujería.

—¿Y qué importa eso?

—Habrán vencido. Y, si vencen, otros sufrirán. ¿Crees acaso que no saben que estás aquí?

—Me buscan en Pendle. No en Lancaster. Ven conmigo.

La Vieja Demdike se despertó. Pese a que tenía los ojos cubiertos de cataratas, vio la alta y oscura silueta de Christopher Southworth.

—¡Es el Caballero Oscuro! ¡Sabía que vendría!

Alizon Device se despertó también, se frotó los ojos y miró a Christopher. Chattox siguió roncando.

La Vieja Demdike logró levantarse sobre sus pies entumecidos y envueltos en harapos y arrojó su cuerpo hediondo contra él.

—¡Sabía que no me abandonaríais!

Christopher la apartó de un empujón.

—¡Aléjate de mí, bruja! ¿Quién eres?

—Demdike. ¡Soy Demdike! Tenéis mi alma. Aquí está mi cuerpo.

Tenía el cabello apelmazado y la piel fina y recorrida de venillas rojas en torno a la nariz y en las mejillas. Le crecían pelos en los lunares. El cuello se le había encajado entre los hombros. El resto era una masa informe.

Christopher no sabía qué decir ni qué hacer. ¿Era esa la amante de su amante?

Demdike tendió la mano. Le faltaba un dedo: el anular de la mano izquierda... «Acuérdate de mí...»

Christopher se acordó del anillo que había visto en el dedo de Alice, de su piel tersa y clara.

Miró de nuevo a la Vieja Demdike. Tenía los ojos verdes. Ojos como una poza de Pendle Forest. Ojos como el bosque cuando llueve y el cielo es verde y la tierra y el aire son verdes. Tenía los ojos verdes.

Jane se negó a irse con él. Le pidió una Biblia y él le entregó su misal. Le entregó dinero con el que sobornar al carcelero para que le diera comida y agua. Se quitó la capa y la envolvió con ella.

Se oyeron ruidos en el exterior. Debía marcharse. Besó a Jane y trepó rápidamente por la cuerda. Era fuerte y ágil. Se aupó al llegar arriba y se tumbó sobre las piedras junto a la rejilla. Desde allí oyó a las presas.

—¡Era el Caballero Oscuro!

—Entonces, ¿por qué no nos ha llevado consigo?

—Lo hará. Os digo que lo hará.

Christopher estaba tumbado sobre las piedras, con el corazón acelerado. La vida era una intervención. En cada momento las posibilidades cambian. Si Jane estuviera en ese momento con él. Si hubieran escapado juntos. Si Jacobo no hubiera accedido al trono. Si la Conspiración de la Pólvora no se hubiera producido. Si Isabel no hubiera ejecutado a María. Si Enrique no hubiera querido el divorcio. Si el Papa no hubiera excomulgado a Inglaterra. Si Inglaterra siguiera siendo católica.

Toda la historia, todos los hechos, ¿qué eran sino posibilidades? Y, en cuanto a él, de momento no estaba muerto. Y estaba también Alice, que lo había elegido. Si Christopher no hubiera vuelto, ella jamás lo habría elegido.

Estaba tumbado sobre las piedras. Podía cambiar de nombre, de país, de fe. Las torturas le habían cambiado el cuerpo. Había intentado cambiar la historia.

No podía cambiar la realidad de su nacimiento ni, por supuesto, la de su muerte. Su hora había llegado.

Le vino la imagen de un reloj de arena.

Tiempo muerto

Alice Nutter se levantó temprano. Se había vestido y estaba preparada para partir cuando los vio por la ventana. No le cupo duda. Habían ido a buscarla.

Dejó los objetos preciosos en el lugar secreto y bajó a abrir. No pensaba esconderse como una cobarde. Que fueran a por ella. Saldría por voluntad propia. No permitiría que la prendieran.

En Read Hall, Roger Nowell había avivado el fuego. La habitación estaba iluminada y caldeada. Saludó con una inclinación de la cabeza. Ella hizo una reverencia. Nowell la invitó a sentarse. Potts entró en la habitación, con los ojos como lanzas. Preguntó a Alice si había leído *Daemonology*, el libro del rey.

Alice respondió que sí. Añadió que no tenía un gran concepto de él.

—En ese caso, os pido que prestéis atención a esto —dijo Potts, y leyó de su ejemplar—: «Los dos géneros de personas que predominantemente practican la brujería son: las que viven en gran miseria o pobreza, pues a ellas el Diablo las tienta para que lo sigan, prometiéndoles grandes riquezas y comodidades mundanales; otras, aunque ricas, arden en desesperados deseos de poder o venganza. No obstante, a fin de tentar a una mujer como esta, el Diablo tenía exiguos recursos ... Desconozco cómo consiguió atraerla hasta esta senda del mal, pero ahora deberá ser juzgada por sus viles y abominables prácticas.»

—No tenéis pruebas contra mí —dijo Alice.

Roger Nowell levantó la mano y el alguacil Hargreaves hizo entrar a James y a Elizabeth Device. Ni uno ni otro había dormido.

Les pidieron que identificaran a Alice como la persona que había acudido a Malkin Tower el Viernes Santo. Les pidieron que explicaran cuál había sido el motivo de su visita y Elizabeth reconoció que Alice Nutter siempre había sido amiga de su madre, la Vieja Demdike.

—¡Es aún más poderosa que ella! —exclamó Jem.

—No soy una bruja —declaró Alice—. No tengo nada más que decir.

—¿Qué decís a esto? —preguntó Roger Nowell.

El alguacil Hargreaves llevó el muñeco. Elizabeth Device palideció.

—Yo no he hecho ningún muñeco —gritó.

—Tiene un tosco parecido conmigo —afirmó Roger Nowell—. Y ayer caí víctima de la enfermedad y del dolor.

—Traed a la herbolaria de Whalley —ordenó Potts.

La amiga de Alice entró en la sala. Roger Nowell le mandó que se situara delante de él.

—¿No dijiste ayer que mi calentura no era una enfermedad común, sino brujería?

La herbolaria asintió. No miró a Alice.

—En ese caso, ¿qué dices de este muñeco hallado en casa de la señora Nutter? Lo ha traído su criada.

Potts cogió el muñeco y lo examinó.

—Esto es brujería. Alice Nutter, ¿confeccionasteis vos esta muñeca?

—No.

—¿Cómo llegó pues al estudio de vuestra casa?

Alice no podía responder; no podía incriminar a su amiga la herbolaria.

—La muñeca tiene cabello humano. No sé cómo robasteis las tumbas —dijo Potts.

—¡Yo las robé! —gritó James Device—. Ella me convirtió en liebre mediante un hechizo y escapé de Malkin Tower y robé las tumbas de Newchurch, en Pendle, y me llevé los dientes y todo lo demás. Ella me hechizó. Dejadme en libertad, como anunció la araña.

—¿La araña? —preguntó Potts—. ¿Es ese tu familiar?

—Todos dijisteis que si testificaba contra Alice Nutter me dejaríais libre.

—De modo que se trata de eso —dijo Alice—. Soborno e intimidación..., aunque todo es legal, puesto que lo lleva a cabo la ley.

Potts se levantó.

—Alice Nutter, se os acusa de brujería. Seréis juzgada en las audiencias de Lancaster.

Roger Nowell se levantó.

—Abandonad la sala.

Alice Nutter siguió sentada. Salieron uno tras otro, y también Potts, hasta que solo quedaron Roger Nowell y Alice. Todavía no eran las cinco de la mañana.

—Ya me tenéis —dijo Alice—. Y no sé por qué.

Roger Nowell sonrió.

—Os tengo, pero podría soltaros.

—¿Cuál es el precio de mi libertad?

—Christopher Southworth.

—No está en mi casa. La habéis registrado.

—Pero sabéis dónde está, ¿no es así?

—No sé dónde está.

—Vuestro mozo de cuadra dice que ayer le prestasteis un caballo.

—Jem Device dice que lo convertí en liebre. ¿También creéis eso?

Roger Nowell guardó silencio unos instantes. Luego dijo:

—Sir John Southworth es amigo mío. Esto no me produce ningún placer. Mi propia posición está amenazada. ¿Acaso no os dais cuenta? Christopher Southworth vino a Lancashire y fue a veros. ¿Creéis que no tengo espías? Lo ocultasteis hace seis años, cuando huyó de Londres tras la conspiración. Sí, sé que lo acogisteis, y cierto es que hice la vista gorda. Lo prendieron cuando se separó de vos para dirigirse a la costa de Gales. No confesó quién lo había ocultado. No dio vuestro nombre.

Alice sintió que se le saltaban las lágrimas al pensar en el cuerpo torturado de Christopher. Roger Nowell las vio y se acercó a ella.

—No me sorprende que os ame. —La rodeó con los brazos. Ella no se abandonó a su abrazo ni tampoco opuso resistencia. Él dijo con suavidad—: ¿Creéis que no se puede comprar a vuestros criados como a cualquier otro criado?

Alice lo miró.

—¿Ordenasteis vos arrestar a Jane Southworth?

Roger Nowell negó con la cabeza.

—Fue Potts. —Vaciló—. Yo tenía motivos para pensar que Christopher Southworth regresaría a Lancaster. No sabía por qué. Francamente, creía que había enloquecido. Entonces apareció Potts, con su «brujería y papismo, papismo y brujería». Estoy tan atrapado en esta celada como vos. Ha de haber un sacrificio... ¿no lo entendéis?

Y, en su mente, Alice estaba en la casa de Vauxhall y Elizabeth decía: «Ella es la Elegida».

Alice permaneció en silencio. Roger Nowell se apartó y sacó del bolsillo una bolsa de la que extrajo un pesado crucifijo de plata. Lo hizo oscilar como un péndulo; como un augurio del tiempo.

—Encontraron esto en vuestra cama.

—Una bruja con un crucifijo. ¿Me acusáis de celebrar la misa negra o la santa misa?

Roger Nowell le besó la frente. Notó que el cuerpo de Alice se le resistía.

—Para Potts no hay ninguna diferencia, y para nuestro rey escocés, tampoco. Seáis lo que seáis, os enfrentáis a la muerte.

—No tengo miedo.

Roger Nowell se separó de ella.

—Os daré una oportunidad. Volved a casa. Reflexionad. Si

huís, os buscaré hasta capturaros. Regresad al atardecer y decidme dónde está Christopher Southworth, eso es todo, y esta noche dormiréis en vuestro lecho. Si os negáis, os mandaré al castillo de Lancaster.

Bankside

Christopher Southworth había llegado a Londres. Pasó por el portazgo de Highgate, vendió su caballo y entró en la ciudad.

Establos, perreras, destilerías, carpinterías, puestos de venta de pudin, cobertizos de techo bajo donde cosían jubones o elaboraban velas. Posadas, tabernas, panaderías, casas de comidas, hombres y mujeres fumando en pipas de barro con cestas de pescado sobre la cabeza. Perros correteando entre las ruedas de los carros, un loro en una percha, una mujer que vendía rollos de tela desde una carreta. Un hojalatero de cuyo flaco cuerpo colgaban ollas y sartenes. Un violinista que tocaba una melodía. Una oveja atada a una cuerda, el olor de carne de cordero guisada, el olor del hierro calentado hasta ponerse al rojo vivo. Un niño descalzo, una niña con un bebé en brazos, dos soldados, andrajosos y delgados.

No tardó en llegar al Támesis, ancho como un sueño, abarrotado de embarcaciones y de cuerpos como una pesadilla.

Había un astillero en Bankside. Barcos volcados, lijados y engrasados, el olor de la brea que se calentaba en una olla inmensa. En el astillero, dos hombres vestidos de mujer bromeaban con un carbonero que quería ir a ver una obra de teatro.

Christopher Southworth se acercó a ellos y preguntó dónde estaba la Casa de la Señal.

—¿Para qué queréis saberlo? —dijo uno. Christopher les dio un penique y ellos señalaron un muelle bajo donde un vaquero marcaba a fuego a una vaca entre un siseo de vapor.

La casa era de madera. Marco de la puerta pintado de brea, junturas rellenas de yeso, hermosas ventanas de cristal y plomo. Una mujer salía en ese momento. Christopher se presentó, le enseñó el sello, la carta y la llave de Alice y ella, aunque se mostró sorprendida, le dejó pasar. Él le dijo que se llamaba Peter Northless.

—Si buscáis el Auténtico Norte, habéis venido al lugar adecuado —dijo ella, y bajó la mano para palparle los testículos. Christopher la detuvo. Ella se rió—. No os molestaremos a menos que así lo deseéis.

Christopher entró. Comprendió. Era un burdel.

Y un burdel hermoso. Bien decorado. Una escalera llevaba a una galería a la que daban unas bonitas puertas. Así pues, esa era la fuente de ingresos de Alice. Decía que le proporcionaba una buena renta.

Subió a la galería. No era la planta que Alice había descrito. Una habitación en lo alto, había dicho.

Se detuvo ante una pequeña puerta abatible. La empujó y vio una escalera estrecha y falta de uso, a juzgar por el polvo que la cubría. Sus pisadas dejaron huellas en los peldaños.

Subió y subió, más de lo que creía posible, y al llegar a lo alto se encontró ante una gran puerta recia y cuadrada, con un rostro pintado que la cubría por completo. La cerradura se hallaba en el ojo derecho. Christopher miró el rostro. El rostro lo miró a él.

Christopher entró.

Había una cama alta arrimada a una pared revestida de paneles de madera cuadrados. Una mesa junto a la ventana, dispuesta para dos personas, pero con una gruesa capa de polvo. Un retrato de una hermosa mujer de ojos verdes.

—Elizabeth Southern —dijo, asombrado de que esa fuese la bruja a la que había apartado de un empujón en la mazmorra de Lancaster.

Tuvo la sensación de inmiscuirse en otra vida. Una vida secreta.

Sobre la mesa había un libro encuadernado en cabritilla. Lo abrió. Era la letra de Alice.

«John Dee ha regresado a Polonia para reunirse con Edward Kelley. No hay noticias de Elizabeth. He conseguido crear el espejo.»

¿El espejo?

Miró a su alrededor. Había uno en la pared, pero no vio nada extraño en él. No había armarios en la habitación. Ningún cajón en la mesa. Quizá Alice se hubiera llevado el espejo. Quizá lo habían robado o se había perdido.

En cualquier caso, Alice estaría allí mañana, o al día siguiente, y al otro partirían a caballo hacia Dover, donde embarcarían con destino a Calais.

La habitación tenía en un lado unos altos ventanales que daban a un tosco balcón cuadrado. Christopher los liberó de años de abandono y salió. Vio el río que serpenteaba a través de la ciudad, y la vida pululante de Londres se desenrolló ante sus ojos como una alfombra. Se sintió sereno y repentinamente exhausto. Había cabalgado sin descanso, cambiando de caballo en las casas de postas, durmiendo apenas. Ahora podría por fin dormir. A fin de cuentas, era la cama de Alice.

El Portal del Crepúsculo

Desde la cumbre plana de Pendle Hill se divisa cuanto conforma el condado de Lancashire. Hay quien dice que también pueden verse otras cosas. Es un lugar encantado. Los vivos y los muertos se reúnen en la colina.

Alice sabía que la seguían. Que lo hicieran. No se atreverían a acercarse demasiado.

Oyó alas. Extendió el brazo. Era su ave. Le desgarró la piel que no cubría el guante, pero no le importó porque amaba al halcón y sabía que el amor deja una herida que a su vez deja una cicatriz.

Tenía la carta de Edward Kelley. «Le hallaréis, empero, donde puede ser hallado: en el Portal del Crepúsculo.»

—He venido —dijo Alice.

Durante unos instantes no ocurrió nada. La niebla que envolvía la colina como una capa llegaba hasta la panza del poni. Alice desmontó y sujetó las riendas. No se oía nada. Era como si la colina estuviera escuchando.

Vio una figura que se acercaba. Encapuchada. Rauda. El corazón se le aceleró. El halcón voló hasta un árbol fulminado.

La figura se detuvo a unos pasos de Alice y se quitó la capucha. Era John Dee.

—No esperaba veros —dijo Alice.

—¿A quién esperábais?

—Tengo una carta… de Edward…

—Una de sus invocaciones de espíritus, supongo —dijo John Dee—. No pueden ayudaros ahora.

—¿Estáis vivo? —preguntó Alice.

John Dee negó con la cabeza.

—No como lo estáis vos. Nos encontramos en una franja de tiempo, lo que los católicos llaman Limbo…, entre el mundo de los vivos y el de los muertos.

—¿Estoy muerta, pues? —preguntó Alice.

—He venido a liberaros. Vuestro cuerpo es una cáscara. Abandonadla. Dadme la mano. Dejad que encuentren vuestra cáscara abandonada en el suelo. No podrán hacerle nada a vuestro cuerpo una vez que les hayáis privado de vuestra alma.

—Nunca he creído en el alma —repuso Alice.

—Testaruda como siempre —dijo John Dee.

—¿Dónde está Christopher? ¿Está a salvo?

—En vuestra casa de Bankside.

Alice Nutter sonrió. Así pues, Christopher estaba a salvo. Se embarcaría.

—¿Y Elizabeth?

—Es demasiado tarde para Elizabeth. Era demasiado tarde hace tiempo.

—Sacadla de ese lugar espantoso.

—No puedo. Vos tampoco. Ya no podéis hacer nada, Alice. Es hora de partir.

John Dee le tendió la mano.

Alice estaba envuelta en la niebla y la luz menguante. Solo quería a dos personas. Christopher se encontraba a salvo. Sabía que no volvería a verlo. Elizabeth había quedado abandonada a su suerte.

Silbó. El halcón regresó de mala gana y se posó con ella en esa estrecha franja de tiempo. Alice se quitó del dedo el anillo de oro y lo prendió a la pata del pájaro.

—Encuéntralo —dijo—. Dile que no puedo ir.

Oyó voces en la niebla. Estaban cerca. John Dee tendió la mano como una rama en llamas. Alice solo tenía que tocar el fuego y la profecía tocaría a su fin. No ardería en la hoguera. Sería libre.

Negó con la cabeza. Puso el pie en el estribo y subió al poni. No abandonaría a Elizabeth.

El amor es tan fuerte como la muerte.

Llaman a la puerta

Vestía de púrpura. Montaba a la mujeriega en su yegua cobriza. Llevaba una pequeña bolsa. Cruzó el arco y entró en el patio de Read Hall desparramando a los criados a su alrededor.

Era de noche. Era tarde.

Los hombres de la casa oyeron el ruido de un caballo. Oyeron que llamaban a la puerta. Un criado fue a abrir. Lo oyeron gritar asustado. Roger Nowell se levantó para averiguar a qué se debía el alboroto. Abrió la puerta de su pequeño estudio y se asomó al espacioso salón.

Alice Nutter había entrado a lomos de su yegua, que piafaba entre los bancos del salón, con las orejas aguzadas y arrogante.

Potts salió. Potts volvió a entrar.

Alice Nutter desmontó y entregó las riendas del caballo a Roger Nowell.

—Estoy dispuesta —dijo.

Y un ave

Cuando Christopher Southworth se despertó, había una muchacha en su cama. No estaba exactamente en la cama: estaba tumbada sobre las almohadas como un perro de compañía.

—Siempre he querido entrar en esta habitación. Está encantada. Todas las chicas saben que hay fantasmas.

—¿Qué fantasmas?

—Dos mujeres. Se las oye reír y moverse. Por la noche. Y se oye cómo cruje la cama. Se vendieron al Diablo.

—Conozco a esas mujeres —dijo Christopher—. No están muertas.

—¿Y cómo es que vienen todas las noches de luna llena?

—Esta noche hay luna llena. Yo estaré aquí. Pregúntame mañana.

La joven asintió y se levantó.

—¿Queréis yacer conmigo? No os cobraré. Sois un huésped especial.

Christopher negó con la cabeza.

—Estoy enamorado de alguien.

—Hermosa respuesta. Deseo que algún día alguien diga eso de mí.

Cuando la joven ya se iba, él le preguntó:

—¿Por qué llaman a este lugar la Casa de la Señal?

—No es la señal de la cruz, si es eso lo que estáis pensando; no somos religiosas. —Se rió—. Lo veréis en el escalón de la entrada. La estrella de cinco puntas. Algo relacionado con la alquimia.

La joven se marchó.

Ese día Christopher paseó por Londres. Consiguió los caballos con los que Alice y él irían a Dover, donde estaba anclado el navío que los llevaría a Calais. Se sentía esperanzado. No sabía por qué.

Cuando regresó a la Casa de la Señal, miró al suelo y allí estaba, en la magnífica losa de la entrada: una estrella de cinco puntas, con un rostro dentro, parecido al rostro de la puerta. Había también unas runas que no supo leer. Alice le explicaría su significado cuando llegara. Confiaba en verla ese día.

Había algunas chicas, pero el lugar estaba tranquilo. A Christopher le gustaba la casa, apartada en su hermoso jardín, con el río al lado. A Alice le gustaba vivir cerca del agua. Y no hay bruja que soporte el agua, pensó, y acto seguido se preguntó: ¿Creo acaso en las brujas? No le gustó la pregunta. La pregunta que siguió le gustó aún menos: Si Alice es una bruja, ¿cómo puedo amarla? La amaría aunque fuera una loba que le arrancara el corazón. Y se preguntó qué revelaba eso acerca del amor.

Llegó a lo alto de la escalera y la puerta con el rostro lo miró. Christopher sonrió y acarició la boca con gesto juguetón. La boca no era de madera; era blanda.

Retrocedió al tiempo que soltaba un grito y se sujetaba la mano. ¿Blanda?

Se obligó a tocar de nuevo la boca de la puerta. Era de madera maciza.

Entró, dejando la puerta abierta, echó agua en la palangana y se lavó la cara. Cuando se volvió a mirar la puerta, esta se cerró.

Se resistía a tener miedo, pero tenía miedo. Se acercó a las ventanas que daban al balcón cuadrado. Posado en la barandilla de madera estaba el halcón.

Christopher no cabía en sí de gozo. Notó que su cuerpo se distendía. Alice se hallaba cerca. Jamás salía de casa sin su ave.

Fue a buscar agua. Le dio un pedazo de cerdo que había comprado. El ave comió y bebió. Christopher le hablaba de Francia y de los halcones que allí conocería. Todo sería distinto.

El halcón levantó una pata y Christopher vio el anillo. «Acuérdate de mí.»

Con sumo cuidado lo desprendió y lo sostuvo en la mano. El pájaro lo observaba. Alice jamás se habría separado del anillo de haber tenido algún otro modo de avisarle.

—La han cogido… —dijo.

Torturadme

La tenían desnuda, en pie, con las manos atadas por encima de la cabeza, de espaldas a ellos. Estaban encapuchados. Llevaban largos y afilados punzones.

—Sigue los puntos a ambos lados de la columna.

El primer hombre incrustó la punta metálica del punzón en la espalda de Alice. La sacó haciéndola girar. Retrocedió, complacido con la demostración.

—Así es como se hace. Ahora tú.

Su aprendiz vaciló. No era más que un niño. Clavó torpemente el punzón al otro lado de la columna de Alice. Brotó la sangre.

—¡Con más firmeza, chico! Vuelve a intentarlo y ve hincándolo hasta donde termina la espalda, a intervalos de una pulgada. Tienes que atravesar la piel, la carne y el músculo… eso es, así, hasta el fondo. Deja las nalgas. Las desollaremos.

La hicieron sangrar hasta que la espalda fue una masa de verdugones levantados y sangre chorreante. Alice percibió el sabor de la sangre cuando se mordió la lengua para no chillar.

Oyó que se abría una puerta detrás de ella. No podía volverse porque estaba atada de pies y manos. Oyó una voz suave y agradable que no reconoció.

—¿Dónde está Christopher Southworth?

Alice no respondió.

—Me gustaría mostraros un desollamiento —dijo la voz.

La desataron y le vendaron los ojos. La condujeron, desnuda, descalza, a través de las mazmorras inferiores, donde estaban los potros y las empulgueras. Le quitaron la venda de los ojos. Vio abierta la doncella de hierro: un ataúd vertical, con el interior de la tapa frontal tachonado de clavos de hierro de seis pulgadas.

—No os preocupéis —dijo la voz—. Solo está de muestra.

La obligaron a seguir caminando.

—Podríamos romperos todos los huesos del cuerpo uno a uno. Podríamos arrancaros los dientes uno a uno. Podríamos arrancaros las uñas... una a una. Podríamos sumergiros lentamente, miembro a miembro, en aceite hirviendo. Podemos golpearos con un atizador... unas veces al rojo vivo, otras, erizado de clavos. Pero todo eso parece desagradable, ¿no creéis? Preferiríamos trataros bien.

Alice oyó un chillido.

—La habitación de las ratas —dijo la voz.

Alice miró por la rejilla el interior de la habitación, si es que podía dársele tal nombre. Estaba atestada de ratas, amontonadas hasta una altura de tres pies, que se devoraban entre sí.

—Pobrecillas, no tienen nada que comer, salvo las unas a las otras. Jamás se me ocurriría arrojaros a un lugar así. No de golpe. Mirad, tenemos agujeros por los que podemos introducir un brazo o una pierna. Un miembro cada vez.

Alice no habló. Una mano suave y amable le acarició la espalda lacerada. Su rostro se contrajo de dolor. La mano se detuvo antes de llegar a las nalgas.

—No vamos a violaros.

Siguieron adelante. Alice oyó una respiración entrecortada y fatigosa. Una mano descorrió una cortina.

Había un hombre atado a un banco. Estaba vestido, con excepción de la pierna izquierda. Tenía los ojos desencajados e inyectados en sangre, y los labios salpicados de espuma. Volvió la cabeza y vio y no vio a Alice.

El verdugo estaba inclinado sobre él, absorto en su trabajo. Ya había arrancado la piel de la parte superior del muslo y estaba concentrado en tirar de ella hacia la rodilla. Alice vio cómo el gran músculo del muslo palpitaba de dolor. El torturador practicó una rápida incisión. El hombre gritó y se desmayó cuando el torturador tiró de la piel hasta el tobillo.

—Termina con esa pierna y deja la otra para mañana —dijo la voz—. Ah, y despiértale.

Un chico avanzó con un cubo de agua y la arrojó a la cara del hombre inconsciente, que abrió los ojos.

Llevaron a Alice a una habitación amueblada. Le ofrecieron vino. Lo rechazó. Le ordenaron que se inclinara hacia delante. Vio dos piernas fornidas, los pies bien separados. Le pusieron los brazos por encima de la cabeza y se los sujetaron con fuerza. Oyó un restallido. El hombre de la voz agradable empezó a fustigarle las nalgas.

—Solo queremos saber dónde está Christopher Southworth.

Cuando volvió en sí, estaba tumbada boca abajo en su celda. No sabía si era de día o de noche, ni cuántos días y noches habían pasado. Le habían dejado agua y comida. Bebió pero no comió.

Sombras

Era tarde. Christopher Southworth observaba cómo se elevaba la luna. El ave estaba con él. Quería mandarle algo a Alice para decirle que acudiría.

—Irás con ella, ¿verdad? —le dijo al ave, que estaba posada en silencio.

Cuando la luna llena iluminó la habitación a su espalda, oyó risas. Miró a su alrededor y luego al interior de la estancia. Allí estaba Alice, sentada a la mesa con Elizabeth Southern. Se disponían a trinchar un pollo. Le dio un vuelco el corazón. Entró corriendo. No había nadie.

Miró en derredor, se pasó una mano por la cara, bebió. Regresó al balcón.

En cuanto salió de la habitación, oyó música. Se volvió a mirar. Alice y Elizabeth bailaban juntas. Esta vez no se apresuró a entrar; se quedó mirándolas. La habitación era exactamente como la conocía, pero había flores y todo parecía hermoso y lleno de vida, no polvoriento y abandonado. Alice besó a Elizabeth. Christopher se sintió borracho de celos. Las dos mujeres fueron hacia la cama. Alice acarició el cuello de Elizabeth.

No pudo contenerse. Entró de un salto en la habitación. Estaba vacía.

Se sentó en el lecho, con la cabeza entre las manos.

Entonces oyó un paso en las escaleras.

—¡Dejadme entrar! ¡Rápido!

Reconoció la voz de la muchacha. Abrió la puerta. Ella se deslizó dentro.

—Vengo a avisaros. Hay media docena de hombres abajo haciendo preguntas. Yo en vuestro lugar huiría. Los engatusaré, les besaré y demás. Así dispondréis de unos pocos minutos.

Christopher asintió y le apretó la mano. La muchacha se marchó. Él se calzó las botas, se puso la chaqueta y se colgó los odres de agua y de vino a ambos lados del cuerpo. Metió en la bolsa el pan y el queso que había comprado y apagó la vela de la mesa. La luna brillaba lo suficiente para iluminarlo todo.

Se asomó por la ventana de la habitación. Sí. Unos hombres hablaban con algunas de las mujeres en el patio delantero de la casa.

Salió al balcón que nadie usaba. Podía trepar hasta el tejado. Buscó en el bolsillo y sacó una moneda francesa. Se la puso en la palma de la mano y el pájaro la cogió.

—Dile que iré —dijo.

Entendiendo el mensaje, el halcón voló hasta el tejado y, una vez que hubo encontrado su norte, desplegó las poderosas alas y desapareció.

Nada más

La Vieja Demdike se moría. Tenía fiebre. Hacía tres meses que no veía el sol. Vivía a base de agua sucia, pan rancio y ratas abotagadas.

El carcelero que llevaba la comida y la bebida a Alice le habló de Demdike.

—Me gustaría verla —dijo ella—. Pagaré.

Esa noche el carcelero apareció con la antorcha goteante y condujo a Alice desde la celda superior a la Mazmorra del Foso. No despegó los labios. Abrió la puerta. Dejó la antorcha de sebo de cerdo en la anilla de hierro de la pared. Luego encerró a Alice dentro.

Al principio ella no vio nada. Luego atisbó un amasijo de cuerpos, sin solución de continuidad, indistinguibles, que yacían amontonados en busca de calor. Chattox, Nance Redfern, Jem Device, Elizabeth Device. Nombres que nada significaban. Los ocupantes de esos nombres los habían abandonado.

Mareada por el hedor y la mugre, se apoyó contra la pared

para mantener el equilibrio. Cuando sus ojos se adaptaron a la maliciosa oscuridad, vio a una mujer que estaba de pie, muy quieta, bajo una luz tan ínfima que era como un recuerdo de la luz.

Alice avanzó hacia los cuerpos inmóviles. La mujer-estatua era Jane Southworth. Tenía en la mano un misal tan saturado de humedad que más parecía un tarugo que un libro. No reconoció a Alice. Su mirada era inexpresiva. Alice le puso la mano en el flaco hombro, pero Jane la apartó y volvió a concentrarse en mirar hacia la luz.

Tos. Alice oyó una tos, no una tos de pecho, sino una tos que nacía tan al fondo de los pulmones que se llevaba consigo el cuerpo entero. Demdike se separó del amasijo de cuerpos, se apretó el vientre y escupió. Se puso de rodillas.

Alice se acercó. El olor era insoportable.

—Elizabeth —dijo—. Elizabeth.

La Vieja Demdike levantó la mirada. Estaba casi ciega, pero sí oía.

—Viene a buscarme, Alice —dijo—. ¿Te envía él?

—Nadie viene a buscarte —repuso Alice—. Bebe.

Llevaba consigo un frasco. La Vieja Demdike sacó la lengua como un bebé. Alice vertió el líquido en su boca. Demdike tragó y meneó la cabeza.

—No puedes salvarme, Alice. Es demasiado tarde.

Sin embargo, la poción la había reanimado. Alice la llevó hacia la puerta de la celda y extendió en el suelo el saco que le había dado el carcelero. Cubrió con él la mugre. Abrazó el cuerpo enfermo y consumido.

—¿Te acuerdas? —dijo Elizabeth.

Alice se acordaba. Aproximadamente medio año después de aquella noche en la casa de Vauxhall, se había enterado de que Elizabeth tenía la sífilis. Estaba con los leprosos en las ruinas del viejo priorato, extramuros de la ciudad, en Bishopsgate.

Era un lugar desolado. Unas cuantas figuras deambulaban por él, hablando a voz en grito, despotricando contra el cielo. La mayoría estaban sentados o tumbados alrededor de hogueras casi apagadas, demasiado enfermos para moverse. Montones de huesos y vísceras rodeaban cada uno de los campamentos, y alrededor de los montones buscaban comida perros, gatos y ratas, a los que solo las fogatas humeantes mantenían alejados. Cuando un hombre estaba demasiado enfermo para encender un fuego, las ratas lo mordisqueaban allí donde yacía.

Alice se había adentrado hasta la zona de las chozas y los refugios improvisados. Era una guarida de leprosos y borrachos, viejas brujas sifilíticas que bebían una asquerosa mezcla de cerveza y agua sucia, y mozalbetes exánimes que se echaban mercurio en las heridas para curarse las infecciones.

Alice encontró a Elizabeth. Quiso darle dinero. Elizabeth le escupió. Alice dejó una bolsa de oro a sus pies y, cuando se dio la vuelta para marcharse, Elizabeth dijo: «Alice… dame el pañuelo que llevas al cuello».

Ahora, aquí, en la celda hedionda, Demdike empezó a toser y Alice le aflojó los harapos en torno al cuello, pero Demdike se apartó.

—Moriré con esto al cuello, más apretado que la soga.

—Bajo la luz de sebo, Alice escudriñó la tela irreconocible—. Me lo diste aquel día —dijo Demdike.

Sí. Aquel día en la leprosería de Bishopsgate.

De pronto percibió algo en la puerta.

En la celda, materializándose de la nada miembro a miembro, se formó una figura humana. Pies, entrepierna, pecho, cuello, cabeza. La figura vestía de gris. No llevaba sombrero. Era bajo, apuesto, letal. Alice lo había visto antes. El hombre saludó con una breve reverencia.

—Señora Nutter.

La Vieja Demdike había ocultado el rostro.

—Viene a por mi alma —dijo.

El hombre abrió la mano. Tenía la palma cubierta de pelo negro. Sostenía un frasquito de cristal lleno de sangre.

—Tengo el sello de nuestro contrato —dijo.

Alice trató de pensar. Estaba medio trastornada a causa de la tortura. Todos los presentes estaban totalmente trastornados, habían perdido la cordura por obra de la pobreza y la crueldad. Aquello era una alucinación.

El hombre sonrió como si adivinara lo que estaba pensando. Destapó el frasquito y vertió la sangre sobre la cabeza de Demdike. Una gota cayó en la mano de Alice. Sintió que le quemaba.

Mientras la sangre se le escurría por la frente y las mejillas, Demdike empezó a cambiar. El cabello se volvió espeso y moreno. Los ojos mugrientos y cubiertos de costras se despejaron y abrieron. La piel se tornó suave y tersa. Se puso en pie. Era Elizabeth Southern. Sonrió a Alice, y sus ojos eran verdes como las esmeraldas que Alice había lucido en el pasado.

—Ven conmigo —dijo—. Podemos ir juntas. No está lejos.

Una luz verde pálido iluminó la mazmorra. El Caballero Oscuro se inclinó en una leve reverencia.

—Una nueva oportunidad para ti, Alice Nutter. Tiende la mano y todo habrá terminado.

Sin ser apenas consciente de lo que hacía, Alice tendió la mano a Elizabeth. Esta la tomó con suavidad, pero enseguida sus dedos la estrecharon como una cadena. Su semblante era duro y feroz.

—Esta vez no me abandonarás.

La celda ardía. Cortinas de fuego abrasaban los muros. Había llamas bajo sus pies. El Caballero Oscuro tomó la otra mano de Elizabeth y empezó a bailar. Elizabeth y él bailaban en medio de las llamas, mientras Alice intentaba liberarse de la terrible tenaza de sus dedos.

—¡No te la llevarás! —exclamó Alice—. Yo soy el sacrificio y todavía no estoy muerta.

Logró liberar las manos y las puso a ambos lados del rostro de Elizabeth.

—No tendrá tu alma —dijo.

El hombre oscuro saltó hacia ella, gruñendo y rugiendo. Era como un zorro negro y la desgarraba con sus fauces. Estaba sobre la espalda de Alice, clavándole los dientes en el cuello. Alice aún tenía entre las manos el rostro de Elizabeth.

—Su alma me pertenece —dijo—. Yo pagaré el precio.

La habitación en llamas se volvió negra. Alice estaba apoyada contra la pared. Oyó cómo se abría la puerta de la mazmorra. El carcelero entró con la antorcha. Su rostro reflejaba terror.

Bajó la vista y propinó un puntapié al cuerpo inconsciente de la Vieja Demdike.

Elizabeth Southern no estaba. La Vieja Demdike había muerto.

Jennet Device

Había oscurecido en Malkin Tower mientras estaba sola, engullendo el pollo y cantando una nana. La cabeza y la mano eran su única compañía.

—¡Jennet Device! —dijo la cabeza—. Se los han llevado a todos a prisión. ¿Quieres que vuelvan?

Jennet negó con un gesto.

—Entonces asegúrate de que no regresen —añadió la cabeza.

La niña fue a acurrucarse en la cama limpia que pertenecía a la Vieja Demdike. Tenía prohibido acercarse a ella. Ni siquiera su madre tenía permiso para entrar en la alcoba. Estaba a salvo tras la cortina cuando oyó que Tom Peeper abría la puerta de la torre y la llamaba. Guardó silencio. Esa noche no quería la cosa dura. Le dolía.

Lo oyó deambular. Luego los pasos se detuvieron y Tom Peeper vio la cabeza. Jennet le oyó maldecir. Tom se tambaleaba. Se acercó a la abertura que daba acceso a la bodega. Estaba oscuro. Se caería dentro. Jennet soltó una risita. Él dejó de pasearse. Aguzó el oído.

—¿Jennet?

La encontró. Descorrió la cortina del escondrijo. La tomó entre sus brazos, que estaban húmedos.

—Papá se ha caído al estanque pero ha vuelto a por su pequeña. Tengo una bolsa grande llena de pan, queso, manzanas y tartas que he cogido de la cocina de Roger Nowell, y viviremos aquí, a salvo los dos, papá y su pequeña. Toma, toma. —Empezó a desabrocharse los calzones. Jennet no quería que se la metiera en la boca.

Se zafó y Tom fue tras ella. La habitación estaba a oscuras. Jennet corrió hacia un lado y, cuando él se abalanzó para cogerla, cayó por la trampilla abierta de la bodega. Jennet supo que se había hecho daño.

Empleando toda su pequeña fuerza, sacó la escalerilla del anclaje y la arrojó por la abertura. A continuación deslizó el cuerpo bajo la trampilla para moverla y la empujó con las rodillas hasta que, con un esfuerzo supremo, consiguió que se levantara y cayera con un golpe seco sobre el hueco, sellando así la bodega. Había un pestillo. Lo deslizó hasta introducirlo en la argolla. Luego desplazó la tosca y pesada mesa, empujando una pata y después otra, hasta colocarla encima de la trampilla.

—Bien hecho, Jennet —dijo la cabeza—. Ahora vete a dormir.

Jennet asintió, cogió la manita que descansaba delante de la cabeza y regresó a la cama. Tom Peeper gritó toda la noche, y todo el día siguiente, y durante los días posteriores, y durante bastante tiempo, le pareció a Jennet, mientras ella daba cuenta de los víveres de una semana para dos personas.

Y luego Tom Peeper dejó de chillar.

Agosto de 1612

Puede afirmarse justificadamente que el condado de Lancaster abunda tanto en brujas de diversa índole como en Seminarios, Jesuitas y Papistas.

Potts se sentía satisfecho consigo mismo. Estaba escribiendo un libro.

«Shakespeare —pensaba mientras garabateaba sin freno—. Estúpidas fantasías. Esta es la vida tal y como la vivimos.»

—¿Tenéis que escribir un libro? —le preguntó Roger Nowell, que estaba harto de todo el asunto.

—Posteridad. Verdad. Crónica. Crónica. Verdad...

—Posteridad —dijo Roger Nowell.

—He aquí la cubierta: *El fabuloso descubrimiento de las brujas del condado de Lancashire*, de Thomas Potts, abogado.

—Supongo que os ayudará a olvidar que los espías del rey no han conseguido atrapar a Christopher Southworth... una vez más.

Alice Nutter estaba en su celda cuando se enteró de que habían absuelto a Jane Southworth. La criada de Jane confesó que un sacerdote católico la había incitado a acusarla. Como Jane Southworth era el único miembro protestante de la familia, la acusación contra ella se consideró parte de una vil conjura papista. El juez se apiadó de ella y ordenó que la llevaran de inmediato a su casa.

«"Las brujas más crueles sobre la faz de la tierra son los sacerdotes que consagran cruces y cenizas, agua y sal, aceite y bálsamo, ramas y huesos, ganado y piedras; que bautizan campanas que cuelgan en los campanarios, que invocan a gusanos que reptan por el campo", dijo el juez.»

Alice permaneció todo el día junto a la ventana, hasta que vio que conducían a Jane a su carruaje. La mujer apenas podía andar.

—¡Jane! —gritó Alice entre los barrotes. Jane levantó la mirada. Apenas veía tras cinco meses de oscuridad, enfermedad y desnutrición—. Él está a salvo —exclamó.

Jane se detuvo un instante, se quedó inmóvil como una estatua, y luego, muy despacio, levantó la mano.

Esa noche Alice Nutter tuvo una visita: Roger Nowell.

—Estáis cambiada —dijo él.

Alice no había utilizado el elixir. No se había mirado al espejo. Sacó del bolsillo el espejito y se acercó a la luz.

¿Esa era ella? Macilenta. Arrugada. El pelo blanco. Seguía siendo hermosa, aun cuando hubiera algo transparente en su rostro, como si la piel estuviera hecha de hojas que hubieran estado expuestas al sol.

Era una anciana.

El juicio

Cuando llevan a los prisioneros a las audiencias de agosto, el señor Potts presenta a su testigo estelar: la pequeña Jennet Device.

Es tan menuda y está tan desnutrida que han de subirla a una mesa para que testifique.

A medida que entran, uno a uno, Jennet los señala como los miembros del aquelarre celebrado aquel Viernes Santo en Malkin Tower.

Jem Device no puede caminar. No ha dado más de doce pasos al día durante los últimos cuatro meses. Ha perdido cuanta grasa tenía. Sus ojos brillan como luciérnagas en el páramo de su cuerpo.

Chattox está trastornada. Escupe y despotrica. Maldice. Quiere ser lo que dicen que es: una bruja. ¿Qué otra cosa puede ser?

Elizabeth Device cree que Satán se ha llevado a su madre. Se sienta en la sala del tribunal con las manos atadas, lívida y nauseabunda. Todavía le queda energía para gritar obscenidades.

Nance Redfern y Alizon Device se tumban. No se tienen en pie. El carcelero les ha contagiado la sífilis.

Mouldheels se ha sentado en el suelo y se arranca ampollas de los pies purulentos. Llega a tocarse el hueso.

Los Bulcock nunca han sabido si son hermanos o marido y mujer. Nadie les ha dicho que no pueden ser ambas cosas. Él rodea con el brazo los hombros de la mujer. Ella se tira de los escasos mechones de pelo apelmazado y esconde la cabeza. Él protege lo que queda de la mente de ella con lo que queda de su propio cuerpo.

Jennet Device habla al tribunal de los familiares de los acusados: Capricho, Dandy y Bola. Cuenta que ha volado en una escoba y que ha visto al Caballero Oscuro con su abuela, la Vieja Demdike. Dedica una atención especial a su madre. Explica al tribunal todos los detalles relacionados con el muñeco y la cabeza.

Su madre está tan dominada por la rabia que han de sacarla de la sala y echarle agua. Jennet Device no muestra ninguna emoción. No tiene emociones que mostrar.

Jennet los observa. A su hermano, que la vendía. A su madre, que la desatendía. A sus hermanas, que ni la miraban. A Chattox, que la asustaba. A Mouldheels, que apestaba.

Los nombra uno por uno y los condena uno por uno.

Entonces conducen a la sala a Alice Nutter.

—¿Reconoces a esta mujer? —le pregunta el juez Bromley.

Jennet sonríe y se acerca a tomar la mano de Alice.

—Tiene un halcón que es un espíritu. Tiene un poni que puede saltar hasta la luna. Tiene comida y bebida, dinero y joyas. Es la más poderosa de todos.

El juez Bromley le pregunta a Alice Nutter cómo se declara.

—No culpable —responde ella. Después guarda silencio.

Todos fueron declarados culpables. Potts así lo consignó. Los declararon culpables de «prácticas, reuniones, conciliábulos, asesinatos, encantamientos y villanías».

Fin

Esa mañana Alice Nutter se despertó antes del alba. Había dormido cerca de una hora porque quería acordarse de lo que era quedarse dormida. Y de lo que era despertar.

Quería recordar la sensación del cuerpo al desperezarse. La del hambre. Lo que se siente al respirar. Se iba de casa. Su cuerpo era su casa. Quería despedirse antes de que la desahuciaran.

Roger Nowell entró en la celda. Dijo:

—Incluso ahora, si nos ayudarais a prender a Christopher Southworth, yo podría…

—Yo no podría —dijo Alice.

Roger Nowell miró al suelo.

—¿Deseáis tomar la comunión antes de que os ejecuten?

—Es innecesario.

—¿Puedo hacer algo por vos?

—Querría mi vestido púrpura.

Le llevaron el vestido. Se echó en la cara y el pelo las últimas gotas del elixir y rompió el frasco. Se vistió. Cogió el espejito que había fabricado con azogue y lo prendió del crucifijo de Christopher Southworth. Se colgó el crucifijo al cuello y lo ocultó bajo el vestido.

Estaba preparada.

El camino desde la mazmorra de Lancaster hasta el patíbulo situado al este de la ciudad estaba abarrotado. La turba abucheaba, arrojaba cosas, se mofaba, miraba con expresión maliciosa y también estaba atemorizada. Los niños se habían subido a los hombros de sus padres. Las ancianas, vestidas de blanco en señal de virtud, estaban sentadas delante de las hordas palpitantes, con lavanda e hisopo en las manos.

Había chiquillos con cubos llenos de pedazos de gato: zarpas, colas, orejas, cabezas, entrañas. Corrían de un lado a otro de las filas a fin de que la gente metiera la mano en los cubos y sacara alguna hedionda ofrenda sanguinolenta para lanzarla al carro.

Desde las ventanas más altas de los edificios que flanqueaban el recorrido tiraban estiércol de vaca y sangre, orines, vómitos y heces humanas.

Y en todo momento la muchedumbre aplaudía y cantaba. Aquello era diversión. Era un día de fiesta.

En el Golden Lion se sirvieron jarras de cerveza. Los Demdike no tenían parientes ni amigos que pudieran comprárselas, porque todas las personas que conocían iban a ser ejecutadas con ellos, salvo Jennet Device. No obstante, alguien había pagado sus jarras, y también la de Alice. Bebieron tras limpiarse parte de la mugre de las manos y el rostro.

Alice no bebió. Miraba por la ventana. Vio un pájaro que volaba muy alto en la fría mañana. Un inquebrantable círculo de alas. Era su halcón.

El patíbulo estaba bien construido. Las sogas eran nuevas. La caída era larga. Sería rápido. Después quemarían los cuerpos.

Condujeron hacia delante a las cinco primeras mujeres y a James Device. Chattox y Elizabeth Device gritaban maldiciones a la turba, que estaba encantada de presenciar el espectáculo que había ido a ver. James Device parecía aturdido e incrédulo. Decía que vivía en una granja donde estaba caliente y seco y bien alimentado, y que no tardaría en casarse.

Alice vio cómo obligaban a los condenados a subir a la plataforma. Las mujeres forcejeaban. Chattox era vieja y fue fácil someterla. A Elizabeth Device tuvieron que golpearla. El guardia le propinó un puñetazo en la cara; brotó sangre del corte que le hizo por encima del ojo. Quedó medio inconsciente. Era afortunada. Los colocaron en fila.

Luego fue rápido.

Soga. Cuello. Caída.

Un rugido se elevó de la multitud. James Device, alto y desgarbado, no se había ahogado del todo con la caída. Un hombre de las primeras filas alzó una mano y le tiró de las piernas. Alice oyó cómo se partía el cuello de Jem.

Llegó su turno. Subió al patíbulo. No forcejeó. Pidió que le desataran las manos y le fue concedido.

El verdugo colocaba a los demás, de uno en uno, en sus respectivas sogas. El clérigo les preguntaba si se arrepentían del abominable pecado de la brujería.

Alice oyó en su cabeza la voz de John Dee. «Elegid vuestra muerte o vuestra muerte os elegirá a vos.»

Aún estaba a tiempo.

Levantó el brazo. La muchedumbre gritó atemorizada. ¿Les estaba maldiciendo la bruja? Los hombres y las mujeres situados justo debajo del patíbulo, que se habían abierto camino a empujones para disfrutar de la mejor vista, se volvieron y tropezaron con los que estaban detrás. Se produjo un altercado. Un hombre dio un puñetazo a su vecino y echó a correr. Una mujer murió pisoteada. El hombre que había puesto fin al sufrimiento de James Device tirándole de las piernas peleaba para trepar al cadalso.

Alice estiró el brazo y del cielo descolorido por el sol bajó el halcón.

Se precipitó en el aire, giró, bajó en picado y se posó directamente en el brazo de Alice. El gentío gritaba. Nadie se atrevía a acercarse a ella.

Alice miró a la turba durante un segundo. Tenía el pelo blanco. Estaba muy cambiada. Pero en la multitud vio un rostro que reconoció y que a su vez la reconoció. Esbozó su sonrisa de siempre. Volvió a parecer joven.

Echó hacia atrás la cabeza para dejar a la vista la larga línea del cuello. El halcón agitó las alas a fin de mantener el equilibrio mientras le clavaba las garras en la clavícula para apoyarse. Adelantó la cabeza con un movimiento rápido, seccionando la yugular.

En el caos que siguió, el hombre saltó al patíbulo, se inclinó sobre el cuerpo de Alice y le abrió el vestido. Vio que llevaba el crucifijo. Le levantó la cabeza, se lo quitó y lo agitó ante la muchedumbre aterrada.

—Aquí tenéis a vuestra bruja... con una cruz al cuello.

—¡Prendedle! —gritó Roger Nowell.

Pero en un abrir y cerrar de ojos Christopher Southworth había desaparecido. Entre la multitud aterrorizada fue imposible apresarlo. Lo esperaba su montura. Cabalgó de un tirón desde Lancaster a Pendle Forest. Ató el caballo exhausto junto al río para que comiera y bebiera y subió a la cima plana de la colina. No había caído del todo la noche: el Portal del Crepúsculo.

Sacó el crucifijo del bolsillo para colgárselo al cuello y entonces reparó en la pequeña funda de cuero. La abrió; contenía el espejito.

Había niebla. Hacía frío. Christopher tiritaba. Su aliento veló el espejo y acto seguido, como por voluntad propia, la superficie se despejó.

—¿Alice? —dijo, entre temeroso y esperanzado. Vio el rostro de Alice en el espejo.

Se volvió frenéticamente. No había nadie detrás de él.

El frío era intenso y mordiente. Tenía la sensación de que lo desgarraban.

Irían a buscarle hoy, mañana o al día siguiente.

Oye voces. Hombres que se acercan. Llevan redes y garrotes para cazarlo como a un animal. Se agacha y repta entre la sólida niebla baja, donde no pueden verlo. Su pelo oscuro es ahora blanco y gotea empapado de niebla. Ya es un fantasma.

Sabe que ya habrán quemado el cuerpo de Alice. Que ya no está.

Se acuclilla, saca el cuchillo y se sube los puños por encima de las muñecas. Rojo contra el blanco. Si hay otra vida, allí la encontrará.

Índice

Este libro ha sido impreso
en los Talleres Gráficos
de EGEDSA,
Sabadell

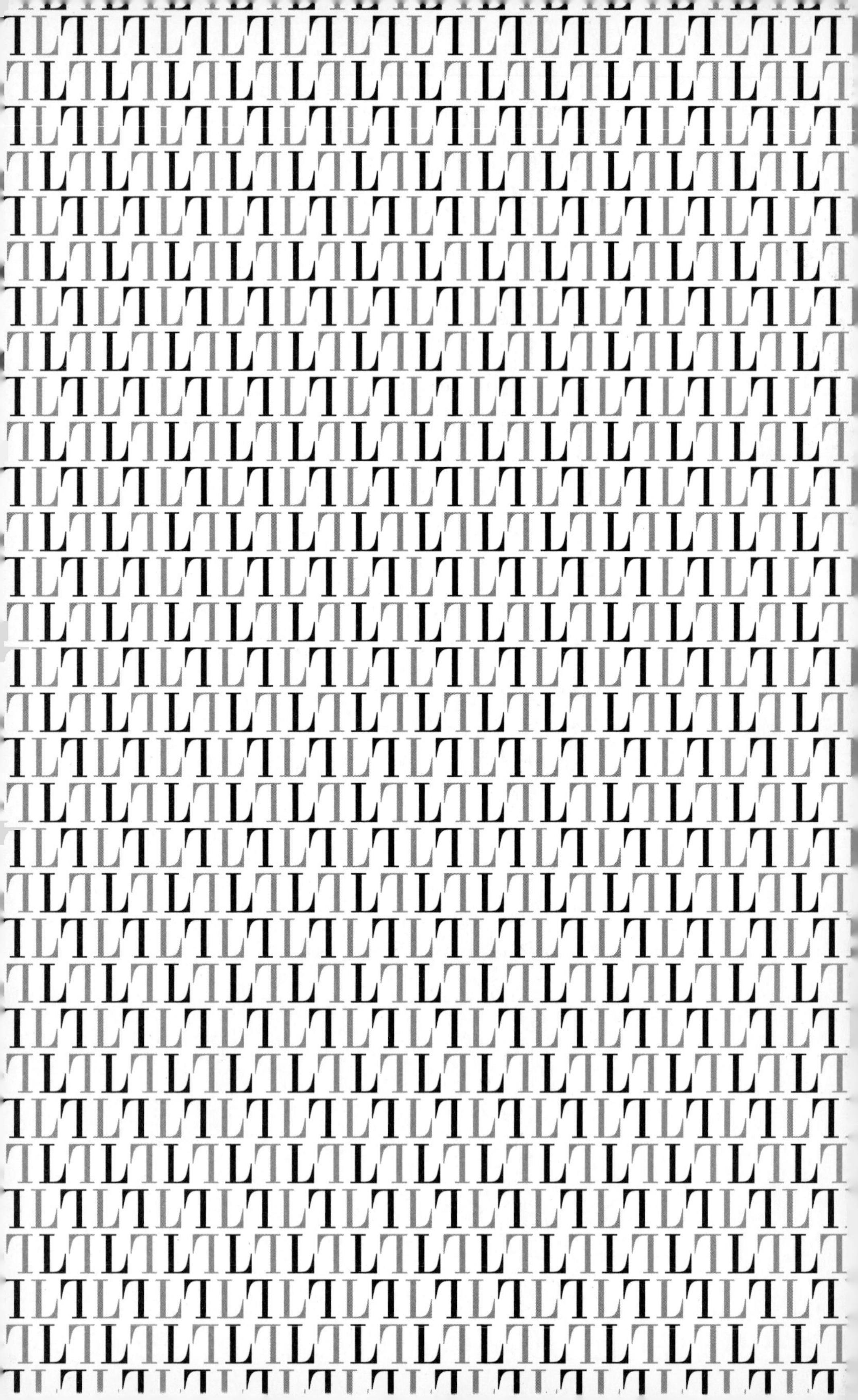